Y DYN CYNTA
YN Y GOFOD

David Cullen

Addasiad Elin Meek

Gomer

CYNNWYS

CYFLWYNIAD *4–7*

CYN *mynd i'r gofod* *8–13*

TEIMLO BOD NEWID *mae'r ras wedi dechrau* *14–19*

YR EILIAD ALLWEDDOL *12 Ebrill, 1961* *20–25*

CANLYNIAD *yr arwr yn dychwelyd* *26–31*

WEDYN *i'r Lleuad a thu hwnt* *32–39*

Y DYFODOL *teithiau i'r gofod* *40–41*

LLINELL AMSER *42–43*

GEIRFA *44–45*

MYNEGAI *46–47*

CYDNABYDDIAETH *48*

Ar 12 Ebrill, 1961, creodd Yuri Gagarin hanes gan mai ef oedd y person cyntaf i deithio y tu hwnt i atmosffer y Ddaear ac i'r gofod. Dim ond 108 munud y parhaodd yr hediad, ond roedd yn gam pwysig wrth i ddyn ddechrau ymchwilio yn y Bydysawd. Hyd at hynny, yr unig bethau byw oedd wedi cael eu hanfon i'r gofod oedd rhai anifeiliaid –

gan gynnwys cŵn a tsimpansïaid. Profodd Gagarin fod bodau dynol yn gallu gwneud y cam pwysig ond peryglus hwnnw y tu hwnt i ddiogelwch yr atmosffer.

Defnyddiodd y Prydeinwyr rocedi Congreve yn ystod rhyfeloedd Napoleon yn y 19eg ganrif ac yn ystod y rhyfel rhwng Prydain ac America yn 1812. Yn ystod y gwrthdaro hwn, cafodd Francis Scott Key ei ysbrydoli i ysgrifennu anthem genedlaethol America wrth weld rocedi Prydain yn ymosod ar Fort McHenry. Y llinellau perthnasol yw: '...the rockets' red glare, the bombs bursting in the air'.

Dechreuodd pobl ymchwilio yn y gofod 1,000 o flynyddoedd yn ôl, pan ddysgodd y Tsieineaid sut i adeiladu a thanio'r rocedi cynharaf. Arfau oedden nhw i fod i ddechrau, ond wedyn sylweddolodd swyddog o Tsiena o'r enw Wan-Hu y gallen nhw gludo pobl. Yn yr 16eg ganrif, clymodd 47 roced wrth gadair er mwyn eu defnyddio i hedfan. Yn anffodus, methodd yr ymgais

a chafodd ef ei ladd a'r gadair ei dinistrio'n llwyr.

Am y 300 mlynedd nesaf, arfau rhyfel yn unig oedd rocedi. Mae hanes yn sôn am Hyder Ali, un o arweinwyr India, a ddatblygodd ac adeiladu rocedi â

Robert Goddard yn sefyll wrth ymyl ei roced oedd yn defnyddio tanwydd hylif. Pan hedfanodd am y tro cyntaf yn Auburn, Massachusetts, cyrhaeddodd gyflymdra o 96.5 km/awr ac uchder o 13 metr yn unig. Am 2.5 eiliad yn unig yr arhosodd yn yr awyr.

chasys metel oedd yn fwy pwerus ac yn fwy dibynadwy. Defnyddiodd Tippu Sultan, ei fab, y rocedi hyn yn erbyn y Prydeinwyr ym mrwydr Seringapatam yn 1792 a 1799.

Creodd yr ymosodiadau hyn argraff ar y Prydeinwyr a dechreuon nhw ddefnyddio'r arfau a'u datblygu i fod yn rocedi Congreve mwy dibynadwy fyth. Roedden nhw'n defnyddio ffon hir i'w cadw'n sefydlog wrth hedfan. Defnyddiwyd nhw yn ystod y rhyfel yn erbyn America yn 1812.

Ond yn yr ugeinfed ganrif y datblygodd technoleg rocedi mewn gwirionedd. Roedd gwyddonwyr wedi penderfynu'n barod bod angen i roced ddefnyddio tanwydd hylif i deithio yn y gofod, yn lle'r tanwydd powdr solet oedd yn y rocedi cynharaf.

Mae teithio i'r gofod wedi bod yn rhan o ddychymyg dyn ers miloedd o flynyddoedd. Ysgrifennwyd cannoedd o lyfrau, gan gynnwys y campwaith hwn gan Jules Verne (isod) am y pwnc

Wrth ddechrau arbrofi ar deithio i'r gofod, anfonwyd amrywiaeth o anifeiliaid i'r gofod, gan gynnwys tsimpansiaid.

Vostok 1 yn codi o'r ddaear, gyda Yuri Gagarin ynddi ar ei daith bwysig i'r gofod. Roedd yr hediad yn rhan o ras ofod ffyrnig rhwng UDA a'r Undeb Sofietaidd.

concro'r gofod. Datblygodd pethau eto yn ystod yr Ail Ryfel Byd.

Pan oedd Hitler mewn grym yn yr Almaen, dechreuodd gwyddonwyr Natsïaidd weithio ar rocedi i'w defnyddio fel taflegrau pellter hir. Canlyniad yr arbrofion oedd y V2 – roced a ddinistriodd nifer o ddinasoedd Ewrop yn ystod y rhyfel. Ond wrth iddi ddod yn amlwg fod yr Almaen yn mynd i golli'r rhyfel, ciliodd gwyddonwyr y V2 i'r Unol Daleithiau a'r Undeb Sofietaidd, gan rannu eu cyfrinachau â'r ddau bŵer mawr. Dechreuodd oes newydd o ymchwilio yn y gofod gyda help eu gwybodaeth nhw.

Ond roedd tanwydd hylif yn anodd ei drin a'i ddefnyddio. Ar 16 Mawrth, 1926, llwyddodd Robert Goddard, gwyddonydd a dyfeisiwr o America, i lansio'r roced gyntaf oedd yn defnyddio tanwydd hylif. Hwn oedd y cam arwyddocaol cyntaf er mwyn

Yn y 1950au, lansiodd yr Undeb Sofietaidd nifer o rocedi chwilio i'r gofod. Wedyn, dechreuodd y ddau bŵer mawr ras wyllt i gael y dyn cyntaf

6

i'r gofod. Llwyddodd Vostok, rhaglen yr Undeb Sofietaidd, i wneud i enw Yuri Gagarin fod yn fyd-enwog. Er mai'r Rwsiaid enillodd y ras honno, wyth mlynedd yn ddiweddarach, camodd yr Unol Daleithiau ymlaen ymhellach eto drwy gael dyn i lanio ar y Lleuad.

Heddiw, mae teithio i'r gofod yn rhywbeth cyfarwydd, ac mae'r Unol Daleithiau a'r Undeb Sofietaidd wedi anfon nifer o ofodwyr i'r gofod. Yn y dyfodol, y gobaith yw y bydd pobl yn gallu sefydlu trefedigaeth ar y Lleuad, teithio i'r Blaned Mawrth neu hyd yn oed y tu hwnt. Ond beth bynnag allai ddigwydd yn y dyfodol, Yuri Gagarin fydd yn cael ei gofio fel y dyn cyntaf a aeth i'r gofod.

Heddiw, mae gofodwyr NASA, awdurdod gofod UDA, yn hedfan a cherdded yn y gofod yn gyson. Mae dros 426 o bobl wedi'u hanfon i'r gofod ers Yuri Gagarin.

Ar ôl camp anhygoel Yuri Gagarin, anfonodd yr Americanwyr lawer o ofodwyr i'r gofod. John Glenn (ar y chwith), un o ofodwyr NASA, oedd yr Americanwr cyntaf mewn orbit ar 20 Chwefror, 1962, ac yna dros 30 mlynedd yn ddiweddarach ar y Wennol Ofod pan oedd yn 77 oed!

Tua diwedd yr Ail Ryfel Byd, daeth arf newydd arswydus i godi ofn ar luoedd a phobl gyffredin y Cynghreiriaid. Roced V2 oedd yr ail o arfau 'dial' yr Almaenwyr. Roedd roced arall cyn hon, V1 (neu'r 'doodlebug'), bom hedfan araf wedi'i gyrru gan jet. Ond roedd V2 yn cael ei gyrru gan roced ac yn hedfan ar gyflymdra o 5,600 km/awr, yn gynt na chyflymdra sain. Roedd yn codi'n uchel i'r atmosffer, fel bod dim gobaith gan luoedd y Cynghreiriaid i ddod o hyd iddi neu ei dinistrio cyn iddi daro targed.

Dyma roced V2 a gafodd ei chipio ar ei llwyfan lansio symudol. Oherwydd y ddyfais hon, roedd hi'n anodd iawn i'r Cynghreiriaid ganfod a dinistrio rocedi V2 cyn iddyn nhw gael eu lansio

Pŵer V2

Roedd V2 yn defnyddio'r un dechnoleg ag roedd Robert Goddard wedi'i defnyddio bron i 20 mlynedd cyn hynny, a dyma'r enghraifft ymarferol gyntaf o roced yn cael ei gyrru gan danwydd hylif. Roedd dau danc ynddi – un yn cynnwys ethyl alcohol hylif a'r llall yn cynnwys ocsigen hylif. Byddai'r ddau hylif yn cael eu pwmpio i'r siambr danio i'w cymysgu a'u tanio, gan greu ffrwydrad cryf o nwyon poeth i wthio'r roced ymlaen. Wernher von Braun oedd yn arwain y tîm a ddatblygodd y roced. Symudwyd ef a'i wyddonwyr a'i beirianwyr i ganolfan rocedi gudd yn y 1930au. Yn ystod y cyfnod hwn, roedd yr Almaen yn cael ei gwahardd rhag datblygu rocedi, felly, gan luoedd arfog yr Almaen yn unig y gallai Braun a'i gydweithwyr ofyn am arian i barhau i ymchwilio. Llwyddodd von Braun i berswadio'r fyddin fod rocedi'n ddefnyddiol wrth ryfela. Symudwyd ef a'i dîm i ganolfan yn Peenemünde ar arfordir y Môr Baltig.

Canolfannau CYFRINACHOL

Datblygwyd rocedi V2 mewn canolfan gyfrinachol yn Peenemünde. Cynhyrchwyd nhw yno tan i gyrch awyr y Cynghreiriaid ddinistrio'r lle bron yn llwyr yn 1943. Yna symudodd y gwyddonwyr a'r technegwyr i safle cyfrinachol arall yn Nordhausen. Yma, byddai carcharorion yn rhoi'r rocedi V2 at ei gilydd o dan amodau hynod o anodd.

Bomiau hedegog

Un o wendidau V2 oedd nad oedd yn gallu cyrraedd yn bell iawn, dim ond 320 kilometr. Tua diwedd y rhyfel, pan oedd lluoedd yr Almaen yn cael eu gwthio'n ôl, roedden nhw eisiau taflegryn pellter hir. Ar ddiwedd y rhyfel, daeth milwyr y Cynghreiriaid o hyd i gynlluniau roced V2 cydag adenydd. Byddai'r adenydd wedi galluogi'r roced i hofran drwy'r atmosffer uwch, gan fynd drwy'r stratosffer. Felly, byddai'r roced wedi gallu mynd yn llawer pellach, gan greu'r taflegryn rhyng-gyfandirol cyntaf ac arf a fyddai wedi gallu taro targedau ar arfordir dwyreiniol America.

Smyglo gwyddonwyr

Tua diwedd yr Ail Ryfel Byd, roedd lluoedd y Cynghreiriaid a'r Sofietiaid yn dod yn nes at yr Almaen. Roedd y ddwy ochr yn awyddus i gael gafael ar y dechnoleg oedd wedi creu rocedi V2. Yn un o gynllwynion mwyaf beiddgar y rhyfel – o'r enw'r Cyrch Paperclip – ildiodd Wernher von Braun a nifer o'r gwyddonwyr yn ei dîm i luoedd America a smyglwyd nhw allan o'r Almaen a'u cludo i'r Unol Daleithiau. Symudwyd nhw i safle profi'r fyddin yn White Sands yn New Mexico. Yma, roedden nhw'n gallu parhau i ymchwilio drwy lansio rocedi V2 oedd wedi cael eu cipio.

Rocedi milwrol

Saith mlynedd ar ôl diwedd yr Ail Ryfel Byd, cafodd Braun ei wneud yn gyfarwyddwr technegol rhaglen Balistig Byddin UDA. O dan ei arweiniad, datblygodd y rhaglen nifer o rocedi gan gynnwys rocedi Redstone a Juno a thaflegryn Pershing. Datblygon nhw roced arall o'r enw Jupiter-C. Hon oedd y brif roced a ddefnyddiodd yr Unol Daleithiau i lansio eu lloerenni. Hefyd, cariodd Explorer 1, y chwiliwr cyntaf, i orbit. Roced Redstone wedi'i haddasu oedd Jupiter-C, ond roedd Braun wedi'i newid fel ei bod yn cyrraedd 7.5 kilometr yr eiliad, sy'n ddigon cyflym i roi lloeren fach mewn orbit. Er mwyn gwneud hyn, ychwanegwyd cam tanwydd arall i roced Redstone a chlwstwr o rocedi cyfnerthu hefyd.

> 'Bydd yn rhyddhau dyn o'r cadwyni sydd ar ôl, cadwyni disgyrchiant sy'n dal i'w glymu wrth y blaned hon.'
>
> *Wernher von Braun yn sôn am bosibiliadau hedfan mewn roced.*

Roedd ymosodiad gan roced V2 yn gallu bod yn ddinistriol, yn enwedig gan nad oedd unrhyw rybudd ei bod ar ei ffordd.

Cyfle

Yn 1954, ceisiodd Prosiect Orbiter, prosiect cyfrinachol gan y fyddin a'r llynges, roi lloeren mewn orbit. Roedd yr Americanwyr yn awyddus i beidio â cholli tir i'r Undeb Sofietaidd, felly aethon nhw at Braun a'i dîm a gofyn iddyn nhw geisio anfon chwiliwr i'r gofod.

Rocedi Sofietaidd

Yn y cyfamser, roedd yr Undeb Sofietaidd wedi bod yn brysur yn cael ac yn datblygu technoleg rocedi'r Almaen tua diwedd yr Ail Ryfel Byd. Ar ôl cael rhybudd gan Winston Churchill yn 1944 am fygythiad ymosodiadau roced V2, daeth y fyddin Sofietaidd ar draws nifer o'r ffatrïoedd gweithgynhyrchu wrth wthio ymlaen drwy Ddwyrain Ewrop. Yn safle profi Peenemünde, yn enwedig, daethon nhw ar draws amrywiaeth fawr o rocedi a thechnoleg rocedi. Pan ddaeth y rhyfel i ben, aeth llawer o'r dechnoleg hon i'r Undeb Sofietaidd,

Wernher von Braun (ar y chwith, isod), adeg lansio roced Saturn V

gyda rhai cannoedd o wyddonwyr o'r Almaen a wirfoddolodd neu a orfodwyd i weithio i'r Sofietiaid.

Mwy o bŵer

Dros y deng mlynedd nesaf, gweithiodd y gwyddonwyr a'r technegwyr hyn o dan arweiniad Sergei Korolev, prif ddatblygwr taflegrau balistig pellter hir. Llwyddon nhw i ailadeiladu nifer o rocedi V2 a rhoi mwy o bŵer iddyn nhw. Yn ystod y cyfnod hwn, adeiladodd y tîm o Sofietiaid ac Almaenwyr nifer o rocedi a'u hedfan. Roedd y rhain yn cynnwys R-1 (copi o V2 yr Almaenwyr), y G-4 (oedd yn cyrraedd yn llawer pellach na'r V2 a rhagflaenydd roced N-1, ymgais y Sofietiaid i anfon pobl i'r Lleuad), a'r R-5M (taflegryn cyntaf y Sofietiaid oedd â phen ffrwydrol niwclear). Yn olaf, creodd y tîm roced R-7, taflegryn balistig rhyng-gyfandirol cyntaf y byd. Cynlluniwyd R-7 i fod yn arf rhyfel yn wreiddiol, ond hefyd datblygwyd hi i lansio teithiau i'r gofod. Drwy addasu dyluniad sylfaenol y roced, ychwanegodd Korolev a'i dechnegwyr nifer o rocedi cyfnerthu yn ogystal â chamau ychwanegol. Cyn hir, R-7 oedd ceffyl gwaith rhaglen ofod y Rwsiaid i gyd ac mae rocedi

WERNHER *von Braun*

Ganwyd Wernher von Braun yn nhref Wirsitz, yr Almaen, ar 23 Mawrth 1912. Pan oedd yn ifanc iawn, roedd ganddo obsesiwn am geisio hedfan i'r gofod ac yn 1925 cafodd gopi o Die Rakete zu den Planetenräumen ('Roced y gofod rhwng y Planedau') gan Hermann Oberth, arloeswr rocedi arall. Yn y llyfr hwn, eglurodd Oberth sut gallai roced fod yn ddigon cyflym i ddianc rhag disgyrchiant y ddaear.

Yn 1930, cofrestrodd Braun yn y *VfR*, Cymdeithas Teithio Gofod yr Almaen, lle ymunodd ag Oberth a'i helpu i brofi peiriannau roced.

Ar ôl y rhyfel, bu Braun yn goruchwylio datblygiad rhaglen ofod America. Yn y pen draw datblygwyd rocedi Saturn V pwerus a gariodd gapsiwlau Apollo i'r gofod ac ymlaen i'r Lleuad. Bu farw Wernher von Braun ar 15 Mehefin, 1977.

SERGEI *Korolev*

Sergei Korolev oedd yr arloeswr y tu ôl i raglen ofod yr Undeb Sofietaidd. Ganwyd ef yn 1906, ac roedd yn gyd-sylfaenydd y Grŵp Ymchwilio i Fudiant Adweithiol (GIRD), yn Moscow. Erbyn y 1930au cynnar, roedd ef a'i gydweithwyr yn profi gleiderau wedi'u gyrru gan rocedi, ond ar ôl dwy flynedd, roedd yn rhaid iddyn nhw ddatblygu cyfres o daflegrau ac awyrennau wedi'u gyrru gan rocedi i luoedd arfog Rwsia. Datblygodd Korolev RP-318, awyren gyntaf Rwsia wedi'i gyrru gan rocedi, ond cyn i'r awyren hedfan, carcharwyd Korolev pan oedd carthiadau Stalin yn eu hanterth yn 1937. Tra roedd yng ngharchar, treuliodd amser ar reilffordd Traws-Siberia yn ogystal â blwyddyn yn mwyngloddio aur yn Kolyma.

Dim ond pan ddechreuodd y rhyfel y rhyddhawyd Korolev, pan sylweddolodd Stalin fod peirianwyr awyrofod yn bwysig i'r lluoedd arfog. Ar ôl y rhyfel, aeth Korolev ymlaen i ddatblygu roced R-7, taflegryn balistig rhyng-gyfandirol cyntaf y byd. Dyma'r roced a gariodd chwiliwr gofod cyntaf y byd yn y pen draw. Yna datblygodd Korolev raglen roced N-1 a'r bwriad oedd mynd â'r Rwsiaid i'r Lleuad cyn teithiau Apollo yr Americanwyr.

a darddodd ohoni wedi cael eu defnyddio am bron i 50 mlynedd. Erbyn 2000, roedd y roced wedi ei lansio dros 1,628 gwaith gyda chyfradd llwyddiant o 97.5%. Does dim un roced lansio arall wedi gwneud dim byd tebyg. Yr uchafbwynt i R-7 oedd 4 Hydref 1957 pan anfonodd y gwrthrych cyntaf a wnaed gan ddyn i'r gofod, chwiliwr bach o'r enw Sputnik 1.

I'r gofod

Newidiwyd cwrs hanes y byd y diwrnod hwnnw wrth i'r Rwsiaid gyhoeddi eu bod wedi lansio lloeren artiffisial yn llwyddiannus. Y digwyddiad hwn oedd dechrau oes y gofod a dechrau'r ras ofod rhwng y ddau bŵer mawr, yr Undeb Sofietaidd ac UDA. Doedd y chwiliwr ei hun ddim yn gymhleth iawn. Sffêr alwminiwm arian oedd e, tua maint pêl fasged, oedd yn anfon signal radio syml yn ôl. Roedd yn pwyso 84 kilogram ac felly'n llawer trymach nag ymdrechion yr Americanwyr – dim ond 8.3 kilogram roedd eu hymgais gyntaf nhw'n ei bwyso. Sylweddolodd yr Americanwyr fod y Sofietaid yn gallu adeiladu rocedi llawer mwy a

mwy pwerus na'u rhai nhw. Hefyd, roedden nhw'n ofni y gallai'r Rwsiaid lansio taflegrau i'r gofod wedi'u hanelu at yr Unol Daleithiau – prin roedd modd amddiffyn yn eu herbyn ar y pryd. Er mwyn ymateb i hyn, rhoddodd America ragor o arian i'r maes a chreu corff newydd, National Aeronautics and Space Administration (NASA).

Sergei Korolev oedd pennaeth rhaglen ofod yr Undeb Sofietaidd. Bu farw yn 1966 wedi llawdriniaeth feddygol a aeth o chwith.

SPUTNIK *1*

Cafodd Sputnik 1 ei roi at ei gilydd mewn llai nag wyth mis pan sylweddolwyd na fyddai'r chwiliwr gwreiddiol yn barod mewn pryd (Sputnik 3 oedd hwn yn ddiweddarach). Adeiladwyd Sputnik 1 heb unrhyw gynllun ar bapur gan nad oedd digon o amser. Tu fewn i'r bêl alwminiwm roedd yr offer radio'n cael ei redeg gan dri batri sinc arian oedd yn rhoi un wat o bŵer. Ar ôl cyrraedd y gofod, roedd y chwiliwr yn cwblhau orbit unwaith bob 96 munud. Yn y man agosaf (perigee) roedd 230 kilometr uwchlaw wyneb y Ddaear, ac yn y man pellaf (apogee) roedd 942 kilometr uwchlaw y Ddaear. Arhosodd y chwiliwr mewn orbit tan ddechrau 1958, pan gwympodd yn ôl i'r Ddaear a llosgi yn yr uwch atmosffer.

Cerdyn post Sofietaidd sy'n dathlu lansio chwilwyr Sputnik.

Mae mwncïod rhesus ymhlith nifer o greaduriaid a ddefnyddiwyd mewn hediadau prawf i'r gofod.

Cyntaf arall

Lai na mis ar ôl lansio Sputnik 1, cafodd yr Americanwyr sioc arall pan lansiodd y Rwsiaid Sputnik 2. Roedd y chwiliwr hwn yn llawer mwy soffistigedig na'r un blaenorol. Hefyd, cariwyd y creadur byw cyntaf i'r gofod, sef ci bach o'r enw Laika (Rwseg am 'Cyfarthwr'). Cafodd ei lansio ar 3 Tachwedd, 1957 ar ben roced R-7 arall wedi'i haddasu. Yn y roced siâp côn, roedd rhan oedd yn ddigon mawr i'r ci orwedd ynddi, yn ogystal â rhannau i'r offer radio ac offer gwyddonol. Yn ystod yr hediad, cafodd Laika fwyd a dŵr ar ffurf jeli, ac ocsigen i'w anadlu hefyd. Cafodd harnais ei roi arni i'w chadw'n sefydlog a bag i gasglu gwastraff. Roedd y synwyryddion a roddwyd arni yn dangos iddi oroesi'r grymoedd disgyrchiant uchel wrth i'r roced godi ac ysgafnder y gofod, er bod yr hediad wedi tarfu ychydig arni. Ond roedd y data a ddaeth yn ôl ar yr offer yn fan cychwyn gwerthfawr ar y llwybr i roi bodau dynol yn y gofod. Yn anffodus, doedd dim modd i gapsiwl Sputnik ddychwelyd i'r Ddaear yn ddiogel, felly roedd yr aer yng nghapsiwl Laika i fod i ddod i ben ar ôl deng niwrnod. Yn y diwedd, mae'n debyg mai dim ond diwrnod neu ddau y llwyddodd hi i fyw mewn orbit oherwydd problemau gwres.

Explorer

Ar ôl clywed am Sputnik 1 a 2, cafodd yr Americanwyr sioc a chyflymu eu rhaglen ofod eu hunain. Ond byddai tri mis arall yn mynd heibio cyn y bydden nhw'n gallu anfon chwiliwr i'r gofod. Lansiwyd Explorer 1 ar 31 Ionawr 1958 a'i danio i'r gofod ar ben roced Jupiter-C a ddatblygwyd

gan Wernher von Braun. Er ei fod yn llawer llai na chwilwyr Sputnik, llwyddodd i ddarganfod haen o ymbelydredd uchel o gwmpas y Ddaear, gan ddefnyddio arbrawf a ddatblygodd James Van Allen. Ei enw ef sydd ar y rhan hon o'r atmosffer uwch. Dangosodd Explorer 1 y gwahaniaeth rhwng ymdrechion y ddwy wlad yn y ras i'r gofod. Roedd gan y Rwsiaid rocedi oedd yn fwy pwerus ac yn gallu codi llwythi trymach, ond arweiniodd UDA y ffordd o ran creu offer manwl a bach oedd yn gallu ffitio mewn llongau gofod llai fel bod angen rocedi llai pwerus i'w codi i orbit.

ANIFEILIAID
yn y gofod

Ers taith Laika o'r ddaear, mae UDA a Rwsia wedi hedfan amrywiaeth o rywogaethau anifeiliaid i'r gofod. Defnyddiodd y Rwsiaid gŵn yn eu hediadau cynnar i weld sut bydden nhw'n ymdopi â byw yn y gofod, a defnyddiodd yr Americanwyr tsimpansïaid ar hediadau prawf cynnar Mercury (gweler tudalen 30–31) i weld a allen nhw oroesi dychwelyd i'r atmosffer a glanio yn y môr. Ers hynny, mae'r amrywiaeth eang o bethau byw a anfonwyd i'r gofod wedi cynnwys creaduriaid ungellog fel ameba, yn ogystal â physgod, adar, slefrod môr, pryfed, brogaod a llygod. Credai gwyddonwyr y bydden nhw'n gallu dysgu sut roedd cadw pobl yn iach ar deithiau hir yn y gofod drwy ddysgu sut roedd y gofod yn effeithio ar rai o'r anifeiliaid hyn. Ond roedd llawer o'r bobl o'r farn fod y driniaeth hon yn greulon i'r anifeiliaid o dan sylw. I ymateb i'r pryderon hyn, penododd NASA Brif Swyddog Milfeddygol yn 1996 sydd wedi sefydlu egwyddorion biofoesegol er mwyn defnyddio anifeiliaid mewn ymchwil gwyddorau bywyd y gofod.

'Dwli pur yw teithio i'r gofod.'

Syr Harold Spencer-Jones, Seryddwr Brenhinol, y DU, 1957 – bythefnos cyn hediad hanesyddol Sputnik.

'Sputnik oedd un o'r pethau gorau wnaeth Rwsia erioed i ni … Gwnaeth i'r wlad hon ddeffro.'

Vannevar Bush, gwyddonydd o UDA, 1957.

Tua diwedd y 1950au, roedd yr Undeb Sofietaidd a'r Unol Daleithiau'n anfon llongau gofod oedd yn cario anifeiliaid ac offer gwyddonol i'r gofod. Roedd canlyniadau'r teithiau gofod cynnar hyn yn dangos bod y cam nesaf wrth fforio yn y gofod – anfon dyn i fyny mewn roced – yn bosib. Canolbwyntiodd y ddau bŵer mawr eu sylw ar gyrraedd y nod yma ac arllwyswyd llawer o adnoddau, yn arian a gweithlu, i raglenni gofod y ddwy wlad. Roedd y ras wedi dechrau i anfon y bod dynol cyntaf i orbit o gwmpas y Ddaear.

Dyma Sergei Korolev gydag un o'r cŵn a ddefnyddiwyd yn rhaglen ofod yr Undeb Sofietaidd. Korolev oedd y gŵr oedd yn gyfrifol am raglen Vostok.

1/3/57
Ar ôl gwneud ymchwil, penderfynodd gwyddonwyr Rwsiaidd o dan arweiniad Sergei Korolev mai hediad is-orbit (llai nag orbit cyfan) fyddai'r daith gyntaf â chriw. Ar 1 Mawrth 1957, sefydlodd Korolev Brosiect Adran 9 i ddylunio'r llong ofod newydd. Erbyn y mis canlynol, roedd y tîm wedi cwblhau cynllun ymchwil i adeiladu llong ofod â chriw yn ogystal â chwiliwr di-griw, gan ddefnyddio roced R-7 yn sail i'r cerbyd lansio.

1/11/57
Rhoddodd Maxine Faget gyflwyniad am gysyniad teithio i'r gofod â chriw yn yr Unol Daleithiau. Yn ddiweddarach, daeth yn berson allweddol yn y tîm a ddyluniodd a datblygu capsiwl gofod Mercury.

Ar ôl ystyried sawl dyluniad, dewisodd y Rwsiaid gapsiwl siâp sffêr wrth fodiwl gwasanaethu bychan (ar y dde). Roedd modiwl gwasanaethu Vostok yn cynnwys y batris i roi pŵer ac ocsigen i gynnal bywyd ac roedd yn torri i ffwrdd cyn dychwelyd i atmosffer y Ddaear.

VOSTOK *ffigurau a ffeithiau*

Dyluniwyd capsiwl Vostok i gario un gofodwr. Roedd yn mesur 2.3 metr ar led a chyfanswm y màs oedd 4,730 kilogram. Y capsiwl dychwelyd oedd tua hanner y pwysau yma, a'r modiwl gwasanaethu oedd yr hanner arall. Roedd Vostok yn gallu treulio hyd at ddeng niwrnod yn y gofod.

1/1/58

Dechreuodd y Sofietiaid weithio ar ddyluniadau cyntaf chwiliwr gofod â chriw. Cafodd sawl dyluniad ei ystyried, gan gynnwys un gyda dwy gynffon a llong awyr ag adenydd i saith o bobl. Cyn hir, penderfynwyd mai llong ofod i un person fyddai fwyaf addas i'r daith.

1/4/58

Roedd dyluniadau a manylebau'r capsiwl Vostok wedi'u cwblhau erbyn mis Ebrill. Capsiwl siâp sffêr fyddai'r llong ofod, yn pwyso tua phum tunnell gyda tharian gwres yn pwyso tua 1,500 kilogram. Byddai'n hedfan ar uchder o tua 250 kilometr a byddai'r peilot yn cael ei allyrru ar uchder rhwng 8 a 10 kilometr ac yn glanio ar wahân.

1/6/58

Erbyn dechrau mis Mehefin 1958, roedd y dyluniadau ar gyfer capsiwl Mercury UDA bron yn barod hefyd. Roedd y cysyniadau cyntaf wedi cynnwys capsiwl heb flaen main oedd yn cael ei arafu gan barasiwtau, a llong awyr ag adenydd a allai hofran i lawr a glanio mewn maes awyr. Yn y pen draw, dewiswyd y dyluniad heb flaen main fel yr un gorau i gapsiwl gofod Mercury.

> 'Roedd gennym hyder llwyr yn y Cymrawd Korolev ... roedd yr angerdd i'w weld yn llosgi yn ei lygaid ... roedd ei egni a'i benderfyniad yn ddiddiwedd.'
>
> *Nikita Krushchev, 1964*

Cafodd gofodwyr Mercury enwi eu capsiwlau eu hunain. *Freedom 7* oedd enw Alan Shepard ar ei gapsiwl Mercury.

MERCURY
ffigurau a ffeithiau

Roedd capsiwl Mercury yn gallu cario un gofodwr. Roedd yn 3.5 metr o hyd ac roedd ei waelod yn 1.9 metr ar draws. Cyfanswm y màs oedd 1,118 kilogram, ac roedd y darian wres yn unig yn pwyso 272 kilogram. Roedd capsiwl Mercury yn gallu treulio 24 awr yn y gofod.

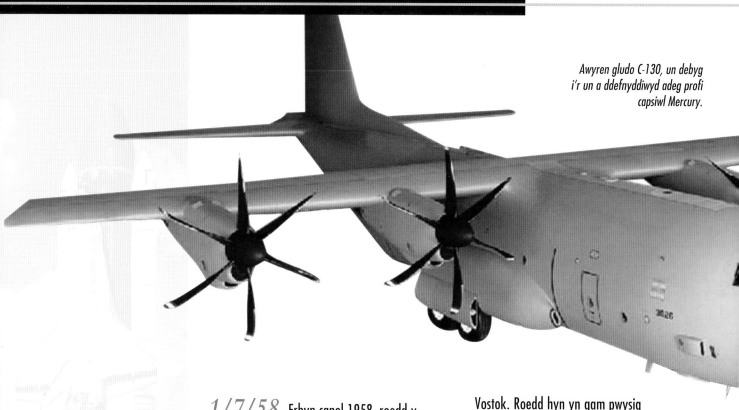

Awyren gludo C-130, un debyg i'r un a ddefnyddiwyd adeg profi capsiwl Mercury.

> 'Peidiwch â dweud wrtha i nad yw dyn yn perthyn yno. Mae dyn yn perthyn ble bynnag mae eisiau mynd – a bydd yn gwneud yn dda pan fydd yn cyrraedd yno.'
>
> *Wernher von Braun, 1958*

1/7/58 Erbyn canol 1958, roedd y dylunwyr a'r technegwyr ar y rhaglen ofod Sofietaidd wedi penderfynu symud yn syth i gael teithiau cynnar â chriw a fyddai'n gwneud orbit cyflawn o'r Ddaear. Roedd Korolev yn siŵr y byddai'r lansiwr R-7 yn gallu cario llong ofod â chriw i orbit ar ôl ei addasu. Ar 1 Gorffennaf 1958, cwrddodd Sergei Korolev ag aelodau'r Politburo, y corff gwleidyddol Sofietaidd pwysicaf, i egluro manteision teithio i'r gofod â chriw.

1/9/58 Yn ystod y misoedd nesaf yn Rwsia, crëwyd adran newydd er mwyn datblygu'r llong ofod â chriw. Erbyn 1 Medi, 1958, cyhoeddwyd brasluniau adeiladu cyntaf capsiwl

Vostok. Roedd hyn yn gam pwysig yn natblygiad y capsiwl oherwydd bod y gweithdai a'r ffatrïoedd oedd yn gysylltiedig â rhaglen Vostok yn gallu dechrau gwneud profion ar systemau'r llong ofod. Dechreuodd y profion hyn tua phythefnos ar ôl cyhoeddi'r brasluniau. Erbyn diwedd hydref 1958, cymeradwyodd Cyngor y Prif Ddylunwyr y capsiwl Vostok ac awdurdodi Korolev i fwrw ymlaen â hediadau gofod â chriw cyn gynted â phosibl. Hefyd penderfynwyd y dylid addasu dyluniad y Vostok ar gyfer lloeren ysbïo newydd, o'r enw Zenit.

1/10/58 Yn y cyfamser, roedd technegwyr America'n datblygu capsiwl Mercury. Dyfeisiodd Maxine Faget a'i dîm o dechnegwyr soffa arbennig er mwyn helpu'r gofodwyr i wrthsefyll y grymoedd disgyrchiant uchel a'r ergydio adeg codi a dychwelyd i'r Ddaear. Ar 9 Hydref, 1958, dechreuon nhw wneud profion gollwng ar gapsiwlau Mercury. Roedden nhw'n cael eu gollwng o awyrennau C-130, a'r nod oedd gweld a oedd y parasiwtau'n gallu arafu'r llong ofod yn ddiogel wrth iddi ddychwelyd i'r atmosffer.

Roced *R-7*

Roced R-7 oedd Taflegryn Balistig Rhyng-gyfandirol cyntaf y byd (ICBM), oedd yn cael ei galw yn SS-7 neu 'Sapwood' gan NATO. Roedd yn 28 metr o hyd gyda diamedr o 3 metr ac yn gallu cyrraedd tua 8,800 kilometr. O gwmpas gwaelod y roced roedd pedair roced gyfnerthu oedd yn gam cyntaf iddi (gweler tudalen 22). Newidiwyd y roced i'w gwneud yn gerbyd lansio i deithiau gofod Vostok a Soyuz drwy ychwanegu cam arall a chapsiwl ar ei phen.

26/11/58

Dros yr ychydig fisoedd nesaf yn UDA, gwnaethon nhw ragor o astudiaethau i weld sut roedd capsiwl Mercury yn dod drwy'r atmosffer a sut roedd ei godi o'r môr. Yna, ar 26 Tachwedd, 1958, rhoddodd NASA, y corff gofod sifil newydd, yr enw swyddogol ar y rhaglen, sef Prosiect Mercury.

2/4/59

Aeth y profion ar gapsiwlau Mercury ymlaen yn ystod gaeaf 1958 a gwanwyn 1959. Hefyd, dechreuon nhw edrych ar y person fyddai'n hedfan y capsiwl, ac ar 2 Ebrill 1959,

yn dilyn rhaglen drylwyr o brofion corfforol a meddyliol, dewiswyd saith gofodwr allan o 110 ymgeisydd i hyfforddi ar gyfer rhaglen Mercury, sef Alan Shepard, John Glenn, Virgil Grissom, Leroy Cooper, Donald Slayton, Scott Carpenter a Walter Shirra.

1/3/60

Yn ôl yn yr Undeb Sofietaidd, doedd capsiwl Vostok a lloeren ysbïo Zenit ddim yn datblygu cystal ag roedden nhw wedi gobeithio.

Er bod pobl yn meddwl mai lle oer yw'r gofod, mae'r rhan fwyaf o'r rheolyddion ar siwt ofod yn ceisio cadw'r gofodwr yn oer.

DILLAD *y gofod*

Mae'n rhaid i ofodwyr wisgo siwt amddiffynnol arbennig wrth deithio i'r gofod i'w gwarchod rhag yr amodau anodd. Rhaid i'r siwt roi pwysau tebyg i'r Ddaear, ac ocsigen i'w anadlu. Yn olaf, rhaid iddi gadw'r gofodwr ar y tymheredd cywir a'i warchod rhag y lefelau uwch o ymbelydredd sydd yn y gofod.

Roedd y lluoedd arfog yn mynd yn fwy crac o hyd gan gredu bod Korolev yn treulio mwy o amser ar brosiect gofod Vostok nag ar y lloeren ysbïo. Ond yn y cyfamser, dewiswyd y peilotiaid oedd yn mynd i hyfforddi ar gyfer hediadau Vostok. Ar 1 Mawrth, 1960, daeth 20 o beilotiaid prawf i ddechrau arni. Ond oherwydd diffyg arian, roedd yn rhaid torri'r tîm i chwe pheilot yn unig – ond roedd un peilot yn cael y graddau gorau gan yr hyfforddwyr drwy'r amser. Yuri Gagarin oedd ei enw.

Roedd Yuri'n dwlu ar hedfan. Ar ôl hedfan am y tro cyntaf mewn awyren ryfel Yak-18, meddai, 'Roeddwn i'n hynod o falch ar ôl hedfan am y tro cyntaf, a rhoddodd hyn ystyr i'm bywyd i gyd'.

19/12/60

Yn wahanol i raglen y Rwsiaid, roedd Prosiect Mercury fel petai'n rhedeg yn esmwyth. Erbyn diwedd 1960, roedd NASA'n barod i brofi capsiwl Mercury di-griw. Ar ôl dau ymgais aflwyddiannus, llwyddwyd i lansio ar 19 Rhagfyr, 1960. Ychydig dros fis yn ddiweddarach, lansiwyd yn llwyddiannus eto, a'r tro hwn roedd tsimpansî o'r enw Ham yn y capsiwl. Roedd y tsimpansî'n iawn ar ôl glanio yn y môr. Ond pan ddangoson nhw'r llong ofod iddo'n ddiweddarach, roedd hi'n amlwg nad oedd eisiau cymryd rhan bellach yn rhaglen Mercury!

YURI *Gagarin*

Ganwyd Yuri Gagarin ger tref Gzatsk, Rwsia, ar 9 Mawrth, 1934. Roedd yn fab i saer oedd yn gweithio ar fferm gyfunol (pawb yn berchen arni). Yn 1951, graddiodd Yuri fel moldiwr o ysgol grefft ger Moscow ac aeth ymlaen i astudio i fod yn weithiwr metel. Pan oedd yn fyfyriwr, dechreuodd ymddiddori mewn hedfan a chofrestrodd am gwrs o wersi mewn ysgol hedfan leol. Roedd ganddo ddawn naturiol ac ar ôl gorffen ei gwrs coleg aeth i ysgol gadetiaid y Llu Awyr Sofietaidd ger Orenburg. Graddiodd Gagarin yn 1957 a daeth yn amlwg yn fuan nad peilot cyffredin oedd Yuri. Cafodd ei drosglwyddo i fod yn beilot prawf, gan hedfan yr awyrennau arbrofol diweddaraf. Yn ystod y cyfnod hwn, clywodd Yuri am y rhaglen ofod a gwirfoddoli i gael ei hyfforddi fel gofodwr.

HYFFORDDI *ar gyfer y gofod*

Heddiw, mae hyfforddiant gofodwr ar gyfer taith mewn Llong Ofod yn brofiad hir ac anodd. Mae darpar ofodwyr yn dechrau drwy astudio diogelwch awyrennau, allyrru, parasiwtio a goroesi mewn argyfwng. Mae peilotiaid ac arbenigwyr y teithiau'n cael eu profi ar awyrennau jet T38. Mae hyfforddiant ysgafnder yn digwydd mewn awyrennau wedi'u haddasu'n arbennig neu danciau dŵr enfawr. Y tu mewn mae model maint llawn o gaban prif lwyth llong ofod a chlo awyr er mwyn i'r gofodwyr ddod yn gyfarwydd ag amgylchedd o ysgafnder ffug. Mae rhan olaf yr hyfforddiant yn digwydd ar Efelychydd y Llong Ofod. Mae'n gallu efelychu unrhyw ran o daith o'r tanio i'r glanio, yn ogystal â sefyllfaoedd argyfwng, gan ddefnyddio dangosyddion digidol gweledol a seinyddion cudd.

i'r gofod eto. Aeth y model Ivan Ivanovich ar y daith hefyd. Wrth fynd o gwmpas y Ddaear, aeth y chwiliwr mor uchel â 175 kilometr. Fel o'r blaen, cafodd y model ei allyrru o'r capsiwl a glanio â pharasiwt, a daeth Zvezdochka allan yn ddiogel ar ôl i'r capsiwl lanio. Dros y pythefnos nesaf, bu pawb yn paratoi at yr hediad hanesyddol. Ar 3 Ebrill, 1961 awdurdodwyd hediad â chriw cyntaf capsiwl Vostok.

Yma (ar y chwith) mae gofodwyr yn hyfforddi ar gyfer taith i'r gofod ac yn profi effeithiau ysgafnder mewn awyren sydd wedi'i haddasu'n arbennig. Drwy blymio i lawr yn sydyn, mae'r awyren yn ail-greu ysgafnder yn y gofod. Mae'r awyren yn gwneud i'r gofodwyr deimlo'n sâl, felly maen nhw wedi ei galw yn 'vomit comet'.

9/3/61

Ar ôl datrys y dadleuon am natur filwrol a sifil rhaglen ofod Vostok, gwnaeth gwyddonwyr Rwsia gynnydd cyflym wrth ddatblygu'r capsiwl. Ar 9 Mawrth, 1961, llwyddodd hediad prawf. Yn y capsiwl roedd ci o'r enw Chernushka yn ogystal â model o berson â'r llysenw 'Ivan Ivanovich'. Cafodd y model ei allyrru o'r capsiwl ar ôl dychwelyd i'r ddaear a daeth Chernushka yn ôl yn ddiogel.

25/3/61

Dechreuodd rhaglen y Sofietiaid cyflymu o ddifrif. Erbyn diwedd mis Mawrth, roedd chwiliwr Vostok yn barod i hedfan eto. Aeth ci o'r enw Zvezdochka

9/4/61

Chwe diwrnod yn ddiweddarach, penderfynwyd pa un o'r gofodwyr fyddai'n hedfan yng nghapsiwl cyntaf Vostok. Yuri Gagarin oedd e. Wrth hyfforddi, roedd Gagarin wedi rhagori ar bob cam. Roedd wedi dangos cryfder corfforol mawr a hefyd wedi dod drwy brawf lle roedd yn rhaid iddo eistedd mewn ystafell heb sŵn a golau am 24 awr. Cyhoeddwyd yn swyddogol mai Gagarin oedd y dewis ddau ddiwrnod yn ddiweddarach, ar 11 Ebrill, 1961, y diwrnod cyn ei hediad hanesyddol.

'Beth sy'n gwneud i ddyn fod yn fodlon eistedd ar ben cannwyll Rufeinig enfawr… ac aros i rywun ddod i danio'r ffiws?'

Tom Wolfe,
The Right Stuff, 1979

06:00

Cafodd Gagarin siwt ofod oren ar gyfer y daith.

Wrth i'r wawr dorri yng Nghanolfan Ofod Baikour ar fore 12 Ebrill, 1961, roedd y lle'n llawn bwrlwm. Roedd y paratoadau terfynol yn cael eu gwneud i'r roced lachar oedd ar y pad lansio o dan lifoleuadau. Wrth i'r haul ddechrau codi, cerddodd meddyg i mewn i ystafell a deffro'r person oedd yn cysgu yno. Agorodd Yuri ei lygaid, dod allan o'r gwely, gwneud ei ymarferion arferol a gwisgo fel petai'n ddiwrnod cyffredin. Yna, cerddodd i mewn i ystafell arall lle roedd meddygon yn aros iddyn nhw edrych drosto am y tro olaf i wneud yn siŵr fod Yuri yn ffit i gymryd rhan yn yr hediad hanesyddol hwn.

YN BAROD I FYND

Am chwech y bore, cafodd Yuri gyfarfod ag aelodau'r Comisiwn oedd yn goruchwylio'r daith. Cyfarfod byr oedd e, er mwyn cyhoeddi bod y gofodwr a'r llong ofod yn barod i fynd. Yna, gwisgodd Yuri oferôls ysgafn arbennig a drostyn nhw roedd ganddo siwt ofod oren a helmed. Diben y rhain oedd amddiffyn y gofodwr petai sêl aerglos y llong ofod yn methu, a'i warchod rhag lefelau ymbelydredd uchel. Wedyn, aeth Yuri at y roced, gan gwrdd â'r Comisiwn unwaith eto i roi gwybod ei fod yn barod i hedfan.

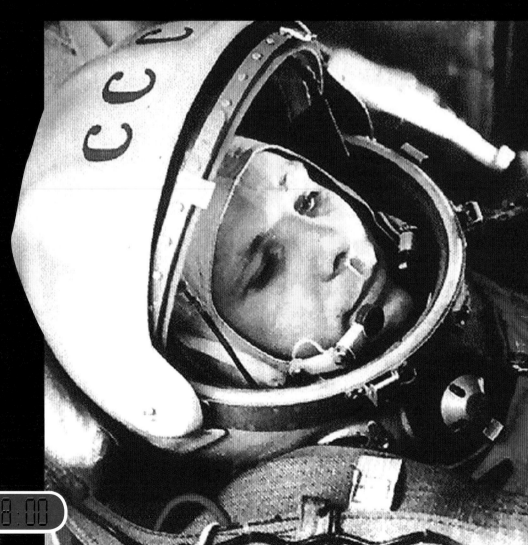

YN SEDD Y PEILOT   **08:00**

Yn yr awr olaf cyn y lansio, rhoddwyd Yuri yn y sedd arbennig a chafodd gorddrws y llong ofod ei gau a'i selio. Aeth y paratoadau'r tu allan yn eu blaen ac, er mwyn i Yuri ymlacio, cafodd ef a'r ystafell reoli sgwrs gyfeillgar. Chwaraewyd cerddoriaeth dros yr intercom i ddifyrru'r amser.

BARN *y bobl*

'Cymrodor heini sydd byth yn digalonni, dyn o egwyddor, sy'n ddewr a chadarn, yn wylaidd a syml, yn bendant, yn arweinydd.'

Dyna sut disgrifiodd ei gyd-ofodwyr gymeriad Yuri.

'Mae'n gwneud awgrymiadau defnyddiol mewn cyfarfodydd. Mae'n sicr o'i adnoddau bob amser... anodd iawn, os nad yn amhosibl yw tarfu arno... Mae ben ac ysgwydd yn well na'r lleill oherwydd ei allu i ganolbwyntio'n dda, ei feddwl deallus a'i ymateb sydyn.'

Crynodeb ei hyfforddwyr o allu Yuri.

'Nid y stratosffer yw'r pen draw i chi!'

Ymateb meddyg i gryfder corfforol a meddyliol Yuri.

Y CYFRIF AM YN ÔL YN DECHRAU

Ond cyn hir, tawelodd y gerddoriaeth a chafodd y camera y tu mewn i'r caban ei droi ymlaen. Yn yr ystafell reoli, cododd Sergei Korolev y meicroffon a dweud 'Gwawr yn galw Cedrwydden (enw galw Yuri). Mae'r cyfrif am yn ôl ar fin dechrau'. 'Rhosier. Dwi'n teimlo'n dda,' atebodd Yuri. 'Mewn hwyliau gwych, yn barod i fynd.' Wrth i'r eiliadau fynd rhagddyn nhw, digwyddodd y paratoadau terfynol. 'Trowch y switsh ymlaen,' daeth y gorchymyn. 'Mae'r injan yn troi.' Symudodd y twˆr tanwydd i ffwrdd oddi wrth ochr y roced. Taniwyd y roced gan ruo'n swnllyd, ac aeth jib oedd yn cario'r ceblau pwˆer i'r naill ochr.

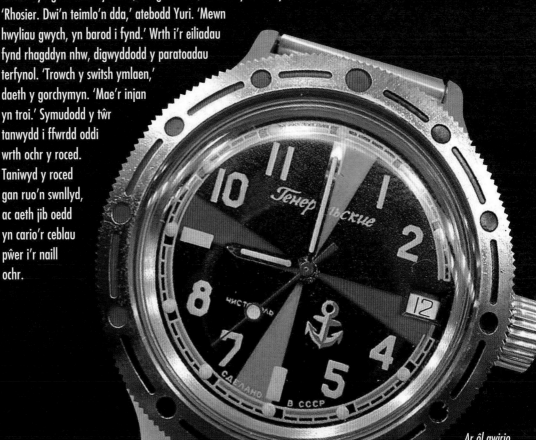

Gagarin yn sedd Vostok 1.

Ar ôl gwirio popeth am y tro olaf, dechreuodd y cyfrif yn ôl, ac ar 9:07 y bore, saethodd Vostok 1 allan o'r pad lansio.

CODI O'R DDAEAR

Taniodd yr injans pwerus o dan long ofod Yuri a dyma'r breichiau oedd yn cynnal y roced yn agor ac yn cwympo i ffwrdd fel petalau blodyn. Yna, cododd y roced enfawr i ffwrdd o'r pad lansio a fry i'r awyr, gyda Yuri'n gweiddi'n llon, 'I ffwrdd â ni!' yn y capsiwl. Roedd Yuri'n ddigyffro ac yn meddwl yn fanwl a rhesymegol fel arfer. Yr unig brofiad rhyfedd gafodd e oedd pan dorrodd llais Sergei Korolev dros y radio i ddweud wrtho fod 70 eiliad wedi mynd heibio. 'Dim ond 70 eiliad?' meddai. 'Dyna eiliadau hir!'

Rocedi atgyfnerthu Vostok 1 yn gwthio'r roced tua'r gofod.

I'R GOFOD

Roedd roced R-7, fel unrhyw gerbyd lansio gofod arall, yn gweithio ar egwyddor defnyddio camau. Wrth i'r roced ddringo i'r awyr, mae'n defnyddio llawer iawn o danwydd. Felly cyn bo hir, mae llawer o bwysau 'marw' ar y roced, ar ffurf tanciau tanwydd ac ocsideiddio yn ogystal â'r darnau sy'n eu dal. Er mwyn i'r roced gael gwared ar y pwysau 'marw' hwn, gellir gollwng y tanciau gwag a'r darnau hyn, fel bod y roced yn llawer ysgafnach. Wedyn mae injans roced y cam nesaf yn cael eu tanio i wthio'r roced, sydd yn ysgafnach nawr, yn uwch i'r atmosffer. Gan rai rocedi, fel rocedi o fath Saturn V pwerus a aeth i'r Lleuad, roedd tri cham i'w gwthio nhw'n gynt ac yn gynt. Yn ystod 15 munud cyntaf hediad Yuri, taniodd injans rocedi pwerus R-7, gan wthio capsiwl Vostok, gyda Yuri ynddo, yn uwch i'r atmosffer. Yn gyntaf, llosgodd y rocedi cyfnerthu yn ulw a chwympo i ffwrdd, a chyn hir, gwnaeth injans pwerus y cam cyntaf yr un fath. Am 09:22 llosgodd yr injans roced ar y cam terfynol a dechreuodd Yuri brofi effeithiau cyntaf ysgafnder y gofod. Dechreuodd unrhyw beth nad oedd yn sownd, gan gynnwys llyfrau nodiadau a beiros, hofran o gwmpas y caban. Wrth edrych drwy'r ffenestri crwn yn y capsiwl, roedd Yuri'n gallu gweld rhywbeth nad oedd unrhyw berson wedi'i weld o'r blaen - sffêr glas y Ddaear o'r gofod.

Y Ddaear, y blaned las, o'r gofod.

BARN *y bobl*

'Rwy'n dweud "tan y cawn eto gwrdd" wrthoch chi, ffrindiau annwyl, fel y byddwn ni'n dweud bob amser wrth ein gilydd cyn mynd ar daith hir. Hoffwn eich cofleidio bob un – fy ffrindiau a'r rhai nad ydw i'n eu hadnabod, dieithriaid a'r rhai sy'n annwyl i mi!'

Gagarin mewn cyfweliad cyn dechrau'r daith.

'Mewn ychydig funudau, bydd llong fawr yn fy nghario fry i'r gofod pell. Beth alla i ei ddweud wrthoch chi yn ystod yr eiliadau olaf hyn cyn y lansio? Yr eiliad hon, mae fy mywyd i gyd fel petai'n crisialu'n un eiliad ryfeddol. Cael bod y person cyntaf sy'n mynd i'r gofod, a chael ymrafael â byd natur ar fy mhen fy hun – a allai rhywun freuddwydio am ragor?'

Gagarin yn siarad cyn y lansio.

'Ydw i'n falch o allu mynd ar daith i'r gofod? Wrth gwrs fy mod i. Ym mhob oes a chyfnod mae pobl wedi teimlo'r hapusrwydd mwyaf cyn dechrau ar deithiau i ddarganfod lleoedd a phethau newydd.'

Gagarin mewn cyfweliad cyn dechrau'r daith.

I MEWN I ORBIT

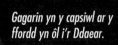

Yna, roedd pawb ar bigau'r drain am ddeng munud cyn i ddata o gapsiwl Vostok gadarnhau ei fod wedi llwyddo i gyrraedd orbit diogel. Am y 89 munud cyntaf, hwyliodd Yuri o gwmpas y byd ar uchder rhwng 169 kilometr a 315 kilometr. Yn ystod yr hediad, doedd Yuri ddim yn gallu rheoli'r capsiwl ei hun. Ond, roedd hi'n bosibl gwrthwneud y systemau awtomatig mewn argyfwng drwy ddefnyddio allwedd oedd mewn amlen yn y caban. Ar ôl un orbit o'r Ddaear yn unig, taniodd yr ôl-rocedi ar waelod y llong ofod i arafu'r capsiwl, a dechreuodd fynd i lawr yn ôl tua'r atmosffer.

Capsiwl Vostok 1 yn dechrau dod yn ôl i'r Ddaear.

Gagarin yn y capsiwl ar y ffordd yn ôl i'r Ddaear.

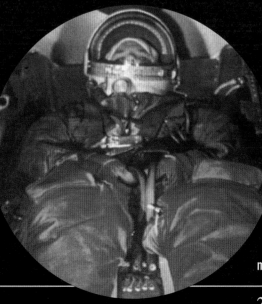

DYCHWELYD TUA'R DDAEAR

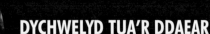

Aeth popeth ddim yn rhwydd i Yuri wrth i gapsiwl Vostok ddechrau dychwelyd i'r ddaear. Roedd y modiwl gwasanaethu bychan oedd yn rhoi'r pŵer a'r ocsigen i fod i dorri i ffwrdd, ond aeth yn sownd ar fwndel o weiars. Felly dechreuodd y capsiwl hercian a chwyrlïo'n ofnadwy wrth gyrraedd atmosffer y Ddaear. Yn ffodus, llosgodd y bwndel o weiars oherwydd y tymheredd uchel y tu allan, gan dorri'r modiwl gwasanaethu i ffwrdd fel bod y capsiwl yn mynd i'r safle cywir i ddychwelyd i'r ddaear.

BARN *y bobl*

'Ar 12 Ebrill, 1961, cafodd Vostok, y llong ofod Sofietaidd ei rhoi mewn orbit o gwmpas y Ddaear gyda minnau ar ei bwrdd … roedd golygfa dda o'r Ddaear ac roedd ganddi leugylch glas hyfryd. Roedd yn symud yn esmwyth o las golau, glas, glas tywyll, fioled a hollol ddu. Roedd yn ddarlun gwych.'

Yuri Gagarin yn ei ddatganiad swyddogol ar ôl yr hediad.

'Roedd Yuri'n personoli ieuenctid tragwyddol ein pobl. Roedd yn gyfuniad hapus dros ben o'r rhinweddau hyn: dewrder, meddwl dadansoddol a diwydrwydd eithriadol.'

Sergei Korolev yn disgrifio cymeriad Yuri Gagarin.

'Yr hyn a'n plesiodd ni am Gagarin oedd ei fod, mewn 108 munud, wedi gallu gweld llawer iawn a chyfoethogi gwyddoniaeth â gwybodaeth a chanlyniadau gwerthfawr.'

Sergei Korolev yn disgrifio sut roedd Yuri'n bwysig i'r daith.

ALLYRRU

Wrth i'r fflamau lyfu'r tu allan i'r capsiwl, aeth Vostok 1 i lawr i'r atmosffer. Ar ôl cyrraedd yr atmosffer, daeth y fflamau i ben, ond daliodd y capsiwl ati i gwympo'n gyflym. Roedd gwyddonwyr Rwsia wedi dod i'r casgliad na fyddai gofodwr yn goroesi cwymp y tu mewn i'r capsiwl. Felly, allyrrodd Yuri allan o'r capsiwl ar uchder o 7,000 metr a pharasiwtio'n ddiogel i'r wyneb.

Sedd allyrru sy'n debyg i'r un a ddefnyddiodd Gagarin i ddianc o Vostok 1.

I LAWR I'R DDAEAR

Yn y cyfamser, agorodd parasiwtiau capsiwl Vostok ei hun er mwyn ei arafu. Byddai pob gofodwr ar deithiau diweddarach Vostok yn allyrru o'r capsiwl, ond yn nes ymlaen byddai gofodwyr Rwsia'n aros yn y capsiwl tan iddyn nhw lanio ar wyneb y Ddaear. Roedd gofodwyr America bob amser yn aros yn y capsiwl ac yn glanio yn y môr, tan i'r Wennol Ofod gael ei defnyddio.

Daeth parasiwt â Yuri yn ddiogel i'r Ddaear.

GLANIO

`10:55`

Ar 10:55 y bore, glaniodd Yuri ar y ddaear. Dim ond 108 munud roedd ei daith wedi'i gymryd i gyd, ond roedd wedi gwneud hanes. A phwy oedd yno i gwrdd â'r arwr ar ôl ei daith anhygoel? Hen wraig ddryslyd, ei hwyres a'u buwch! Ond cyn hir, ymgasglodd criw o weithwyr fferm o gwmpas y gofodwr. Roedden nhw wedi clywed am y daith ar y radio ac wedi brysio i gyfarch y gofodwr wrth iddo ddychwelyd. Roedd y capsiwl mewn cae gerllaw, wedi'i losgi.

Roedd llwyddiant Gagarin yn newyddion ar dudalennau blaen ym mhedwar ban y byd.

CYFRINACHAU A LLWYDDIANT

`11:05`

Ddeng munud ar ôl i Gagarin lanio, ymddangosodd hofrennydd ar y gorwel i gasglu'r gofodwr a'i gapsiwl. Roedd newyddion am y llwyddiant yn lledu i bedwar ban y byd wrth i'r teledu, radio, papurau newydd a chylchgronau godi'r stori. Ond doedd dim sôn yn y datganiad swyddogol gan yr awdurdodau Sofietaidd fod Yuri wedi allyrru o'r capsiwl a glanio gyda pharasiwt ar wahân. Roedd rheolau'r FAI (Fédération Aéronautique Internationale), y corff sy'n rheoli pob record yn yr awyr a'r gofod, yn nodi bod rhaid i ofodwr aros yn y capsiwl tan iddo lanio. Petaen nhw'n dod i wybod am y parasiwt, ni fyddai ei hediad hanesyddol wedi cyfrif! Yn ôl yn y ganolfan, cafodd Yuri sgwrs fer â gwleidydd amlwg yn Moscow cyn cwrdd â'r tîm o ddechnegwyr oedd wedi'i roi yn y gofod. Sergei Korolev, eu harweinydd, oedd y cyntaf i'w longyfarch.

Gweddillion Vostok 1 wedi'u llosgi mewn cae yn Rwsia.

CANLYNIAD *arwr yn dychwelyd*

Ddeuddydd ar ôl ei daith hanesyddol, roedd hi'n bryd i Yuri wynebu'r cyhoedd a theithio i Moscow. Aeth ar awyren arbennig yn Saratov a hedfan i brifddinas Rwsia. Tua 50 kilometr cyn cyrraedd y ddinas, daeth awyrennau jet Rwsiaidd i hedfan gyda'r arwr ar ran olaf ei daith.

> *'Gallwn fod wedi dal ati i hedfan drwy'r gofod am byth.'*
>
> *Yuri Gagarin yn cael ei ddyfynnu yn y New York Times, 14 Ebrill 1961.*

Pwyllgor croesawu

Wrth i'r awyren stopio'r tu allan i adeilad terfynfa Vnukovo ym maes awyr Moscow, agorwyd carped coch i groesawu Yuri. Ar y pen draw iddo roedd criw o swyddogion y Blaid Gomiwnyddol ac arweinwyr y llywodraeth oedd yn barod i gyfarch y gofodwr. Camodd Yuri allan o'r awyren a rhoi araith fer i'r dyrfa lle soniodd yn gryno fod y daith wedi bod yn llwyddiannus. Yna, trodd i gael ei longyfarch gan y gwleidyddion ac i groesawu Valentina, ei wraig, ei blant a'i rieni, oedd hefyd yn disgwyl amdano yno. Wedyn, aeth pawb i mewn i res o geir a theithio i'r Sgwâr Coch ar gyfer y seremoni groesawu swyddogol.

Coridor o bobl

Tua 30 kilometr o hyd oedd y daith i'r maes awyr, ond roedd pobl ymhobman yn gweiddi enw Yuri, yn chwifio baneri ac yn taflu blodau. Yn y Sgwâr Coch ei hun, roedd tyrfa enfawr yn y sgwâr, a chynulleidfa hyd yn oed yn fwy oedd yn gwylio'r digwyddiad ar y teledu dros Ewrop i gyd yn aros i glywed ei araith. Ynddi, diolchodd Yuri i'r Blaid Gomiwnyddol a'r Llywodraeth Sofietaidd, yn ogystal â'r gwyddonwyr, technegwyr, peirianwyr a'r gweithwyr oedd wedi gwneud ei daith yn bosibl. Hefyd, cyhoeddodd ei fod ef a'i gyd-ofodwyr yn barod i deithio ymhellach i'r gofod i ymchwilio i ehangder y Bydysawd.

Tyrrodd miloedd o bobl i'r Sgwâr Coch yng nghanol Moscow i weld eu harwr newydd.

ANRHYDEDDAU *Sofietaidd*

Rhoddwyd 'Urdd Lenin' i Yuri, sef yr anrhydedd fwyaf y gallai'r Undeb Sofietaidd ei rhoi i berson. Roedd yn cael ei rhoi am wasanaeth eithriadol i'r mudiad chwyldroadol a llwyddiant eithriadol mewn gweithgaredd llafur, yn ogystal â gwasanaeth pwysig arall i'r wladwriaeth a'r gymdeithas Sofietaidd. Hefyd, cafodd Yuri 'Seren Aur Arwr yr Undeb Sofietaidd' gydag Urdd Lenin am wasanaeth i'r wladwriaeth oedd yn gofyn am ymddygiad anarferol o arwrol.

Yuri yn gwisgo'r medalau a gafodd ar ei hediad hanesyddol.

Derbyniad gyda'r nos

Y noson honno, gwahoddwyd Yuri a'i deulu i dderbyniad gyda'r nos ym Mhalas y Kremlin yn Moscow a drefnwyd gan y llywodraeth er anrhydedd i'r hediad gofod cyntaf â chriw. Yn ystod y digwyddiad, cyhoeddwyd y byddai Yuri'n ennill dwy o anrhydeddau uchaf yr Undeb Sofietaidd: Urdd Lenin a Seren Aur Arwr yr Undeb Sofietaidd. Camodd Yuri ymlaen i dderbyn yr anrhydeddau hyn a gyflwynwyd gan Leonid Brezhnev, Llywydd Presidiwm Goruchaf Sofiet yr Undeb Sofietaidd.

Bywyd newydd

Wedi hynny, newidiodd bywyd Yuri'n llwyr. Wynebodd lu o gynadleddau i'r wasg, sgyrsiau radio, cyfweliadau ac ymddangosiadau cyhoeddus. Ond drwy'r cyfan, roedd Yuri'n benderfynol o barhau gyda'i ddyletswyddau a'i hyfforddiant fel arfer. Daeth ei benderfyniad i'r amlwg pan ofynnodd newyddiadurwr iddo a fyddai'n gallu gorffwys ar ei rwyfau am weddill ei fywyd. 'Gorffwys?' ymatebodd. 'Yn yr Undeb Sofietaidd mae pawb yn gweithio, a'r rhai sy'n gweithio galetaf yw'r bobl enwocaf, arwyr yr Undeb Sofietaidd ac arwyr llafur Sosialaidd, y mae miloedd ohonyn nhw yn y wlad.' Dychwelodd i Ddinas y Sêr, lle hyfforddodd ei gyd-ofodwyr, gan eu paratoi at deithiau'r dyfodol i'r gofod.

Ond cafodd ychydig o amser i ymlacio, gan fwynhau treulio amser gyda'i deulu. Roedd Yuri'n mwynhau pysgota yn y bore bach a hela yn y coedwigoedd o gwmpas ei gartref. Hefyd dechreuodd ysgrifennu a byddai'n gwneud hynny hyd oriau mân y bore. Erbyn iddo farw, roedd Gagarin wedi cyhoeddi dau lyfr, *Seicoleg y Cosmos* a *Y Ffordd i'r Cosmos*.

DINAS *y Sêr*

Codwyd Dinas y Sêr, i'r dwyrain o Moscow, yn 1960, er mwyn hyfforddi gofodwyr ar gyfer teithiau i'r gofod. Roedd holl gyfleusterau tref ynddi, gan gynnwys siopau, cyfleusterau hamdden, ysgol ac ysbyty. Mae Dinas y Sêr yn dal yn cael ei defnyddio heddiw, ac mae gofodwyr Rwsiaidd a thramor yn hyfforddi yno.

Gwladweinydd

Rôl newydd arall i Yuri oedd bod yn wladweinydd tramor. Roedd llawer o wledydd eisiau gwahodd y gofodwr i ymweld â nhw ar deithiau ewyllys da, ac aeth Yuri ar sawl taith yn ystod y blynyddoedd ar ôl bod yn y gofod. Yn ystod y cyfnod hwn, aeth i wledydd comiwnyddol fel Bwlgaria, Tsiecoslofacia, Hwngari a Gwlad Pwyl, yn ogystal â gwledydd gorllewinol fel Prydain Fawr, Canada a Norwy. Hefyd, roedd llawer o alw amdano yn Rwsia, ac aeth hynny'n fwy ffurfiol wrth iddo gael ei ethol yn ddirprwy i Oruchaf Sofiet yr Undeb Sofietaidd (gweler y blwch) dros ranbarth Smolensk.

Vostok

Yn y cyfamser, aeth rhaglen Vostok yn ei blaen. Lai na phedwar mis ar ôl lansio Vostok 1, aeth Gherman Titov i'r gofod yn Vostok 2. Y tro hwn, treuliodd y gofodwr ddiwrnod cyfan yn y gofod a gwnaeth 17 orbit o'r Ddaear cyn dychwelyd. Yn ystod y daith, bu Titov yn rheoli'r capsiwl, ond dioddefodd o salwch y gofod. Eto, bu problemau wrth geisio gwahanu'r modiwl gwasanaethu o'r capsiwl dychwelyd, ond llosgodd y weiars oedd yn dal y modiwl gwasanaethau. Unwaith eto, allyrrodd y gofodwr o'r capsiwl cyn glanio ar wyneb y Ddaear.

Taith ar y cyd

Byddai taith nesaf Vostok yn torri tir newydd eto. Y tro hwn, lansiwyd dau gapsiwl Vostok o fewn diwrnod i'w gilydd yn y daith gyntaf ar y cyd i'r gofod. Lansiwyd Vostok 3, gyda'r gofodwr Adrian Nikolayev ar 11 Awst 1962, a lansiwyd Vostok 4 gyda'r gofodwr Pavel Popovich y diwrnod canlynol. Yn ystod y daith, aeth y ddwy long ofod heibio i'w gilydd o fewn 5 kilometr i'w gilydd. Ond bu'n rhaid torri taith Popovich yn fyr. Wrth baratoi cyn y daith, dywedwyd wrtho am ddweud ei fod yn 'gweld stormydd' os oedd yn profi salwch y gofod, fel Titov ar daith

Cafodd Yuri ei gyfarch yn wresog ym mhob gwlad yr ymwelodd â hi. Yma, mae Harold Macmillan, prif weinidog y DU ar y pryd, yn ei gyfarch.

Awyren ryfel jet Mig-15, debyg i'r un y cafodd Yuri ddamwain ynddi a chael ei ladd. Dim ond 34 oed oedd Gagarin pan gafodd ei ladd.

Vostok 2. Wedyn byddai'n gorfod dod yn ôl. Ond, gwelodd Popovich stormydd go iawn yng Ngwlff México a dwedodd hynny wrth y ganolfan reoli ar y ddaear. Camddeallodd y technegwyr hyn a'i orfodi i ddod yn ôl yn gynnar, gan feddwl ei fod yn sâl.

Y ddynes gyntaf

Taith arall ar y cyd oedd y nesaf, gyda Vostok 5 a 6 yn cael eu lansio o fewn diwrnod i'w gilydd. Ond y tro hwn, roedd Valentina Tereshkova, y ddynes gyntaf i deithio i'r gofod, yn un o griw Vostok 6 ar 16 Mehefin, 1963. Fel ar y daith Vostok flaenorol, pasiodd y ddau gapsiwl o fewn pum kilometr i'w gilydd a bu'r ddau ofodwr yn siarad â'i gilydd ar y radio.

Diwedd trist

Gydol y cyfnod hwn, roedd Yuri wedi bod yn gweithio'n galed i orffen ei hyfforddiant yn yr Academi Awyr. Llwyddodd i orffen ei gwrs yno yn y pen draw a chymhwyso fel peiriannydd. Ond roedd eisiau teithio i'r gofod eto a daliodd ati i hyfforddi fel gofodwr i wneud hyn. 'Bod yn ofodwr yw fy mhroffesiwn,' meddai, 'a wnes i ddim dewis bod yn ofodwr i gael gwneud yr hediad cyntaf ac yna rhoi'r ffidl yn y to.' Ond chafodd Gagarin ddim teithio i'r gofod eto. Ar 17 Mawrth, 1968, cafodd ei ladd pan wrthdarodd yr awyren jet MiG-15 roedd e'n ei hedfan ar daith hyfforddi arferol ger Moscow.

Y GORUCHAF *Sofiet*

Cafodd Yuri ei ethol yn ddirprwy i'r Goruchaf Sofiet, sef y corff deddfwriaethol uchaf yn yr Undeb Sofietaidd. Roedd yn cwrdd ddwywaith y flwyddyn, a hefyd os oedd argyfwng. Y bobl oedd yn ethol yr aelodau, ond doedd dim llawer o rym ganddo – dim ond cadarnhau penderfyniadau'r Politburo a'r Blaid Gomiwnyddol roedd yn ei wneud.

Taith go iawn!

Cyrhaeddodd yr Undeb Sofietaidd y gofod fis yn gynt nag UDA. Ond, petai NASA ddim wedi gwrando ar gyngor Wernher von Braun i ohirio'u taith nhw er mwyn profi'r newidiadau i'r roced, byddai Alan Shepard wedi hedfan ar 24 Mawrth, 1961, a chyrraedd y gofod bythefnos cyn Gagarin! Ar 5 Mai, 1961, taniwyd Shepard i'r gofod yng nghapsiwl Mercury. Dim ond 15 munud barodd y daith a wnaeth e ddim orbit o'r Ddaear.

Yn lle hynny, cyrhaeddodd capsiwl Mercury uchder o 186 kilometr, cyn dychwelyd i'r atmosffer a chwympo'n ôl i'r Ddaear.

Rhagor o deithiau

Aeth ail daith Mercury i'r gofod ar 21 Gorffennaf, 1961, gyda Virgil Grissom yn y capsiwl. Eto, wnaeth e ddim orbit o'r Ddaear, ond cyrhaeddodd y capsiwl uchder o 190 kilometr y tro hwn. Ar ôl glanio yn y môr, roedd Grissom yn lwcus i gael ei achub. Suddodd y capsiwl ar ôl i'r drws chwythu ar agor wrth lanio ar y dŵr. Gherman Titov oedd yr ail ofodwr Rwsiaidd i deithio yn Vostok, y tro hwn treuliodd ddiwrnod cyfan yn gwneud orbit o'r Ddaear. Oherwydd hyn, dechreuodd pobl feirniadu cynllun yr Americanwyr, sef anfon Mercury ar deithiau byr heb wneud orbit, am beidio â bod yn ddigon mentrus. Penderfynwyd rhoi'r gorau i'r cynllun a chael taith i wneud orbit o'r Ddaear. Daeth lansiwr mwy pwerus, Atlas, yn lle roced Redstone Mercury. Ar 20 Chwefror, 1962, lansiwyd John Glenn ar daith a barodd 4 awr a 55 munud. Yn ystod y daith, methodd un o'r systemau awtomatig a bu'n rhaid i Glenn gymryd rheolaeth o'r capsiwl. Llwyddodd i orffen y daith a chafodd Glenn ei godi o'r môr ger Puerto Rico.

Saith gofodwr Mercury sydd yn y ffotograff hwn. Yn y cefn, o'r chwith i'r dde, mae Alan Shepard, Virgil Grissom a Leroy Cooper. Yn y rhes flaen, o'r chwith i'r dde, mae Walter Shirra, Donald Slayton, John Glenn a Scott Carpenter

CAPE *Canaveral*

Sefydlwyd Cape Canaveral, sydd ar arfordir Cefnfor Iwerydd Florida, yn 1949 yn lle gorsaf profi taflegrau White Sands, New Mexico. Canolfan profi taflegrau oedd hi yn gyntaf, a dyma lle lansiwyd y teithiau cyntaf i'r gofod gan gynnwys lansio Explorer 1 a chapsiwlau Mercury. Ond yn 1963, prynodd NASA ddarn o dir nesaf at Cape Canaveral i fod yn safle lansio'r teithiau Apollo oedd i ddod. Canolfan Ofod Kennedy oedd ei henw, a daeth yn lle Cape Canaveral fel man lansio teithiau sifil NASA, gan gynnwys lansio'r Gwenoliaid Gofod.

JOHN *Glenn*

Ymunodd John Glenn â Chorfflu Môr-filwyr UDA yn 1943 fel peilot, a bu'n hedfan yn yr Ail Ryfel Byd a Rhyfel Korea. Yn 1954, daeth yn beilot prawf ac yn 1959 cafodd ei ddethol i fod yn un o saith gofodwr Mercury. Glenn oedd y peilot wrth gefn ar ddwy daith gyntaf Mercury a chafodd ei ddewis ar yr hediad orbit llawn cyntaf. Gwnaeth dri orbit cyn glanio yng Nghefnfor Iwerydd ger y Bahamas. Aeth Glenn i'r gofod eto ar 29 Hydref, 1998, ar fwrdd gwennol ofod Discovery ac, wrth wneud hynny, fe oedd y person hynaf i deithio i'r gofod.

Ffotograffau (ar y chwith ac isod) yn dangos awyren o'r UDA yn codi gofodwr a chapsiwl Mercury.

Cwympo'n ddarnau?

Roedd methiant un o systemau Mercury'n nodweddiadol o brosiect Mercury i gyd. Yn wir, roedd NASA'n ffodus bod Leroy Cooper, gofodwr Mercury 9, wedi dychwelyd yn ddiogel ar ôl i'r capsiwl golli ei bŵer trydanol, ei systemau llywio a'r offer! Dyma'r hoelen olaf yn arch prosiect Mercury. Roedd y daith nesaf, Mercury 10, i fod yn daith wythnos o hyd, gan roi'r record i UDA am y daith hiraf i griw yn y gofod. Ond, yn y diwedd, penderfynwyd peidio â bwrw ymlaen â hyn ac aeth yr arian a'r gweithwyr at raglen ofod ddiweddaraf NASA – Prosiect Gemini.

'Roedd yn dipyn o ddiwrnod. Dwn i ddim beth allwch chi ei ddweud am ddiwrnod pan welwch chi bedwar machlud haul hardd.'

John Glenn, 1962

Aeth John Glenn i'r gofod gyntaf yn 1962 ac aeth yn ôl yn 1998, pan oedd yn 77 oed!

Ar 25 Mai 1961, gwnaeth yr Arlywydd John F Kennedy o'r Unol Daleithiau addewid dewr mewn araith gerbron sesiwn ar y cyd o'r Gyngres. Cyhoeddodd mai'r nod oedd rhoi pobl ar y Lleuad erbyn diwedd y degawd. Canlyniad hyn oedd dechrau ras hyd yn oed yn fwy brwd na'r gystadleuaeth i roi'r person cyntaf mewn orbit o gwmpas y Ddaear.

Gofodwr yn paratoi i weithio ar loeren yng nghaban llwytho'r Wennol Ofod (isod).

Voshkod

Unwaith eto, roedd rhaglen ofod y Sofietiaid ar y blaen i raglen UDA. Ar 12 Hydref, 1964, Voshkod 1 oedd y llong ofod gyntaf i gario mwy nag un person i'r gofod a'r gyntaf i gario gwyddonydd a meddyg. Cafodd y daith ei hun ei pharatoi'n frysiog er mwyn ceisio curo prosiect Gemini yr Americanwyr (gweler isod) a doedd gan y criw ddim siwtiau gofod, dim seddi allyrru a dim tŵr dianc. Serch hynny, roedd effaith yr hediad hwn yr un mor fawr â theithiau Vostok a Sputnik o'i flaen. Fel y dwedodd un o swyddogion NASA, roedd yn 'arwydd amlwg fod y Rwsiaid yn dal ati gyda rhaglen ofod fawr er mwyn cael grym a bri cenedlaethol'.

CERDDED *yn y gofod*

Aleksei Leonov oedd y cyntaf i gerdded yn y gofod yn ystod taith Voshkod 2. Treuliodd 10 munud y tu allan i'r llong ofod cyn mynd i mewn iddi eto drwy glo awyr. Ond roedd ei siwt ofod wedi chwyddo cymaint fel na allai fynd yn ôl i mewn ac roedd yn rhaid i Leonov ollwng awyr o'r siwt cyn y gallai ffitio drwyddo! Heddiw, mae cerdded yn y gofod yn rhan arferol o'r teithiau. Bydd gofodwyr yn mynd y tu allan i'w llong ofod i gywiro lloerenni ac i adeiladu'r Orsaf Ofod Ryngwladol (ISS). Jim Voss a Susan Helms sy'n dal y record am gerdded yn y gofod. Treulion nhw 8 awr 56 munud y tu allan i'r Orsaf Ofod Ryngwladol.

Gemini

Doedd Gemini, capsiwl gofod dau ddyn America, ddim yn bell y tu ôl i gapsiwlau Voshkod ac yn y pen draw llwyddodd i gyflawni mwy na nhw. Taniodd Gemini 3, taith gyntaf Gemini gyda chriw ar 23 Mawrth, 1965. Ond roedd yr hediad

SOYUZ

Yn wreiddiol, bwriad capsiwl Soyuz oedd mynd â gofodwyr Rwsia i'r Lleuad. Dyma'r llong ofod â chriw sydd wedi gwasanaethu hiraf yn y byd. Ond dechreuodd y rhaglen yn drychinebus. Taniodd Soyuz 1, gyda'r gofodwr Vladimir Komarov ynddo, ar 23 Ebrill, 1967, er mwyn cwrdd â Soyuz 2 a docio gydag ef. Ond roedd problemau gyda Soyuz 1 a bu'n rhaid canslo lansio Soyuz 2. Pan ddychwelodd Soyuz 1 i'r atmosffer eto, drysodd y parasiwtiau oedd i fod i'w arafu. Gwrthdarodd y capsiwl â'r ddaear a lladdwyd Komarov. Cafodd Soyuz fwy o lwyddiant ers hynny. Yn y pen draw, cafodd ei ddatblygu'n gerbyd i sawl gofodwr er mwyn docio gyda gorsafoedd gofod a'u gwasanaethu. Mae Soyuz wedi teithio i orsafoedd Salyut a Mir dros y 30 mlynedd diwethaf a nawr mae'n cario cyflenwadau a phobl i'r Orsaf Ofod Ryngwladol (*gweler tudalen 36*).

'Credaf y dylai'r genedl hon ymrwymo i'r nod, cyn i'r degawd hwn ddod i ben, o roi dyn ar y Lleuad a'i ddychwelyd yn ddiogel i'r Ddaear.'

John F. Kennedy, wrth annerch sesiwn arbennig ar y cyd o'r Gyngres, 25 Mai, 1961.

nesaf yn gam mawr ymlaen gan mai'r gofodwr Edward White oedd yr Americanwr cyntaf i gerdded yn y gofod. Hefyd treulion nhw bedwar diwrnod yn y gofod, yr un faint â thaith hiraf y Rwsiaid. Yna, treuliodd Gemini 5 wyth niwrnod mewn orbit. Roedd hyn yn profi bod gofodwyr yn gallu goroesi am yr amser fyddai ei angen i gyrraedd y Lleuad ac aeth UDA â'r record am fod yn y gofod oddi wrth y Rwsiaid am y tro cyntaf. Llwyddodd gweddill 12 taith Gemini i gynyddu'r

record i 14 diwrnod, a hefyd mynd yn ôl yn awtomatig i'r atmosffer am y tro cyntaf a docio cerbydau'n llwyddiannus sawl tro.

Cafodd Soyuz ei ddefnyddio hefyd mewn taith hanesyddol ar y cyd ag UDA pan gysylltodd capsiwl Soyuz â chapsiwl Apollo yn 1975.

Trosglwyddo yn y gofod

Am y tro cyntaf yn oes teithio i'r gofod, roedd yr Undeb Sofietaidd ar ei hôl hi yn y ras. Ar ôl y problemau gyda hediadau cyntaf Soyuz, roedd yn rhaid i wyddonwyr Rwsia aros bron i ddwy flynedd i gyflawni nod taith Soyuz 1, sef docio dau gerbyd yn y gofod a throsglwyddo criw o'r naill gerbyd i'r llall. Gwnaed hyn yn y pen draw ar hediadau Soyuz 4 a 5 ym mis Ionawr 1969. Ond erbyn hyn, roedd yr Americanwyr ar y blaen yn y ras i roi'r dyn cyntaf ar y Lleuad.

Ras i'r Lleuad

Ar ôl cwblhau teithiau Gemini'n llwyddiannus, trodd NASA ei sylw at raglen Apollo ac anfon dyn i'r Lleuad. Ond er yr holl brofion, dechreuodd y rhaglen yn drychinebus. Ar 27 Ionawr, 1967, lladdwyd pob un o'r tri gofodwr (gweler isod). Aeth criw arall ddim i gapsiwl Apollo tan 11 Hydref 1968. Wedi hynny, cyflymodd pethau. Ddau fis yn ddiweddarach,

Cragen modiwl rheoli Apollo 1 wedi'i llosgi'n ulw lle collodd tri gofodwr eu bywydau.

ARGYFYNGAU *Apollo*

Er bod teithiau diweddarach Apollo'n llwyddiannus, roedd problemau hefyd. Cafodd Apollo y dechrau gwaethaf posibl. Yn ystod prawf, bu tân yng nghapsiwl rheoli Apollo 1 a lladdwyd tri gofodwr. Bu bron i Apollo 13 fod yn drychineb pan fethwyd glanio ar y Lleuad oherwydd ffrwydrad, ond diolch byth, roedd y gofodwyr yn iawn.

Apollo 8 oedd y llong ofod cyntaf i gario gofodwyr o gwmpas y Lleuad. Gwnaeth Apollo 8 ddeg orbit o'r Lleuad, a gwelodd y gofodwyr lawer o bethau pwysig a thynnu ffotograffau. Wedyn taniwyd injans y roced, gan wthio capsiwl Apollo allan o orbit y Lleuad ac yn ôl i'r Ddaear.

Yr ymarfer olaf

Ar 3 Mawrth, 1969, taniodd Apollo 9. Roedd tri modiwl yn rhan o gapsiwl Apollo. Roedd y gofodwyr yn eistedd yn y modiwl rheoli wrth godi a dychwelyd i'r Ddaear. Yn y modiwl gwasanaethu roedd cyflenwadau pŵer ac ocsigen y daith. Yna roedd y modiwl lleuadol newydd yn cario'r gofodwyr i lawr i wyneb y Lleuad. Mewn orbit o gwmpas y Ddaear, llwyddodd modiwlau rheoli a gwasanaethu Apollo 9 i ddod yn rhydd o'r roced, troi, a docio gyda'r modiwl lleuadol. Yna aeth y gofodwyr i'r modiwl lleuadol i wneud profion cyn dychwelyd i'r modiwl rheoli. Digwyddodd yr ymarfer olaf ar gyfer glanio ar y lleuad ar 18 Mai, 1969. Taniodd Apollo 10 a gadael orbit y Ddaear ar y ffordd i'r Lleuad. Yn orbit y Lleuad, cafodd y modiwl lleuadol ei ryddhau ac aeth i lawr i 15.4 kilometr uwchben wyneb y Lleuad, cyn dychwelyd i ddocio'n llwyddiannus gyda'r modiwlau rheoli a gwasanaethu. Yna dychwelodd y gofodwyr i'r Ddaear yn llwyddiannus, gan lanio yn y Cefnfor Tawel.

Glanio ar y lleuad

Taniodd y daith gyntaf i lanio'n llwyddiannus ar y Lleuad o Ganolfan Ofod Kennedy ar 16 Gorffennaf, 1969. Y gofodwyr oedd Neil Armstrong, Edwin 'Buzz' Aldrin a Michael Collins. Cyn pen pedwar diwrnod, glaniodd Aldrin ac Armstrong ar y Lleuad yn y modiwl lleuadol. Tua chwe awr yn ddiweddarach, Armstrong oedd y person cyntaf i gerdded ar y Lleuad, gan ddweud y geiriau enwog: 'un cam bychan i ddyn – un naid enfawr i ddynolryw'. Ar ôl 21 awr a 36 munud ar y Lleuad, cododd y modiwl lleuadol o'r Lleuad i ddocio gyda'r modiwlau rheoli a gwasanaethu cyn gadael orbit y Lleuad a dychwelyd i'r Ddaear.

Glanio eto

Ar ôl llwyddiant Apollo 11, cyhoeddodd NASA gynlluniau i lanio naw gwaith eto ar y Lleuad. Mewn gwirionedd, dim ond pum taith arall lwyddodd i gyrraedd wyneb y Lleuad. Apollo 17 oedd yr olaf ym mis Rhagfyr 1972. Yn ystod y teithiau hyn, casglodd gofodwyr Apollo samplau o greigiau'r Lleuad i'w dadansoddi ar y Ddaear, gwnaethon nhw nifer o arbrofion ar wyneb y Lleuad, teithio ar wyneb y Lleuad mewn cerbyd a chwarae golff hyd yn oed! Y gofodwr Alan Shepard sydd â'r record am yr ergyd golff hiraf erioed! Ar ôl Apollo 17, canslwyd y teithiau i'r Lleuad oherwydd toriadau gwario'r llywodraeth. Oherwydd hyn, ac am fod rhaglen Lleuad y Rwsiaid wedi methu'n llwyr, does neb wedi bod ar y Lleuad ers 30 mlynedd.

Darn o graig y Lleuad o daith Apollo 17.

Oherwydd nad oes atmosffer ar y Lleuad, a dim gwynt neu law, bydd olion traed gofodwyr Apollo yno am filiynau am flynyddoedd.

Rhestr anrhydeddau **APOLLO**

Dim ond 12 o bobl sydd wedi bod ar y Lleuad, sef Neil Armstrong ac Edwin 'Buzz' Aldrin (Apollo 11); Allan Bean a Pete Conrad Jr (Apollo 12); Edgar Mitchell ac Alan Shepard (Apollo 14); James Irwin a David Scott (Apollo 15); Charles Duke Jr a John Young (Apollo 16); a Harrison Schmitt ac Eugene Cernan (Apollo 17).

CWCH ACHUB *y gofod*

Un o'r problemau o gael criw yn y gofod am gyfnodau hir o amser yw sut i'w hachub nhw mewn argyfwng. Efallai na fyddai digon o amser i lansio taith achub, felly mae dylunwyr gorsafoedd gofod wedi creu capsiwl i'w ddefnyddio fel 'cwch achub'. Ar orsafoedd gofod Rwsia, y capsiwl y cyrhaeddodd y gofodwyr ynddo oedd hwn fel arfer. Ar yr Orsaf Ofod Ryngwladol (ISS) meddyliwyd am ddewis arall mwy parhaol. Mae'r rhain wedi cynnwys awyrennau gofod bychan, fel yr X-33, X-38 a HL-20, a fyddai'n torri i ffwrdd o'r Orsaf Ofod, cyn dychwelyd i'r atmosffer a gleidio i lawr i redfa glanio. Ond anghofiwyd am y syniadau hyn oherwydd diffyg arian, a chapsiwl Soyuz sy'n cael ei ddefnyddio o hyd. Cafodd ei ddefnyddio i ddod â chriw'r Orsaf Ofod yn ôl i'r Ddaear ar ôl i long ofod *COLUMBIA* gael ei dinistrio yn 2003.

Yn ystod diwedd y 1990au, aeth y Wennol Ofod sawl gwaith i ddocio gyda Mir, Gorsaf Ofod Rwsia.

Salyut

Ar ôl glanio ar y Lleuad, trodd y sylw ar sefydlu gorsaf ofod yn orbit y Ddaear. Aeth y Rwsiaid ar y blaen unwaith eto drwy lansio Salyut 1 ar 19 Ebrill, 1971. Ond trodd llwyddiant yn drychineb. Lladdwyd y criw cyntaf wrth ddychwelyd ar ôl aros ar yr orsaf am 23 diwrnod pan ddirwasgodd y capsiwl. Collwyd Salyut 2 a 3 hefyd. Yn y pen draw, cafwyd atebion i'r problemau ac roedd Salyut 6 a 7, y ddwy orsaf Salyut olaf, yn llwyddiannus iawn. Bu gofodwyr yn byw yn Salyut 6, a lansiwyd yn 1977, am gyfanswm o 676 diwrnod, a gofodwyr unigol yno am hyd at 185 diwrnod! Lansiwyd Salyut 7 yn 1982. Bu gofodwyr yno am 851 diwrnod ac ymwelodd 22 gofodwr (gan gynnwys rhai o Ffrainc ac India) â'r orsaf, gan aros hyd at 237 diwrnod yn y gofod. Roedd Buran, llong ofod Rwsia, i fod i ddod â Salyut 7 yn ôl i'r Ddaear. Ond canslwyd y prosiect hwn ac felly gadawyd gorsaf ofod olaf Salyut i losgi yn atmosffer y Ddaear ar 7 Chwefror, 1991.

Skylab

Roedd rhaglen UDA i lansio gorsaf ofod yn dibynnu'n drwm ar yr un math o beiriannau a thechnoleg ag a ddefnyddiwyd yn nheithiau Apollo. Adeiladodd peirianwyr NASA Skylab o rocedi Saturn V oedd yn sbâr ar ôl canslo'r hediadau i'r Lleuad. Cododd problemau gyda'r orsaf ofod hon ar ôl ei lansio ar 14 Mai, 1973. Rhwygwyd y darian solar oedd i fod i amddiffyn yr orsaf rhag yr Haul wrth iddi godi o'r Ddaear, felly cododd y tymheredd ynddi i 52°C! Llwyddodd sawl taith i Skylab i osod cysgod yn lle'r darian. Bwriad trydydd hediad y Wennol Ofod i ymweld â'r orsaf ofod oedd gwthio Skylab i orbit uwch, mwy diogel. Ond bu oedi yn rhaglen y Wennol Ofod a gwaethygodd orbit Skylab, felly daeth yn ôl i atmosffer y Ddaear a llosgi dros Awstralia ar 11 Gorffennaf, 1979.

Mir

Gorsaf ofod Mir oedd ymdrech olaf y rhaglen ofod Sofietaidd. Roedd hi fod i bara pum mlynedd, ond arhosodd yn y gofod am ddeng mlynedd arall. Yn y cyfamser, daeth cwymp yr Undeb Sofietaidd a bu'n rhaid i Mir gael help ariannol UDA i'w chadw yn y gofod. Roedd hi'n amlwg fod rhaglen ofod UDA wedi mynd ymhell ar y blaen. Cafodd yr orsaf lawer o broblemau, gan gynnwys gwrthdaro â llong ofod arall, heb wneud llawer o ddifrod difrifol! Canslwyd nifer o'r modiwlau oedd i fod i gysylltu â Mir oherwydd diffyg arian. Yn wir, dim ond oherwydd rhodd o $100 miliwn doler y flwyddyn gan NASA roedd y llong ofod yn gallu aros mewn orbit. Roedd yr arian hwn yn talu am gadw 'gofodwr gwadd' ar fwrdd Mir, yn ogystal â chyfanswm o naw ymweliad gan y Wennol Ofod â'r hen orsaf druan.

'Chi sy'n rheoli pethau, ond peidiwch â chyffwrdd â'r rheolydd.'

Meddai gofodwyr Rwsia wrth Shannon Lucid, y gofodwr o UDA pan adawon nhw hi ar Mir er mwyn mynd i gerdded yn y gofod.

Gofodwyr NASA yn Skylab cyn ei lansio i orbit.

BYW *yn y gofod*

Mae gofodwyr sydd yn y gofod yn byw yn debyg i'r arfer ar y Ddaear. Ond maen nhw'n gwneud rhai pethau'n wahanol. Mae bwyd yn gallu hofran i ffwrdd wrth ei fwyta yn y gofod, felly mae'n well gan ofodwyr fwyd gludiog ac nid bwyd briwsionllyd. Mae rhai gofodwyr yn hoffi bwyd â blas cryf arno. Mae'r gwaed yn rhedeg i'r pen yn haws oherwydd bod dim disgyrchiant, felly mae sinysau gofodwyr yn blocio fel eu bod nhw'n methu blasu cystal. Problem anodd arall yw mynd i'r toiled. Pan fydd gofodwr yn gorfod defnyddio'r toiled ar y Llong Ofod, mae llif o awyr yn cario'r gwastraff o'r corff. Yn olaf, ymarfer yw un o'r pethau pwysicaf wrth fyw heb ddisgyrchiant am gyfnodau hir. Heb ddisgyrchiant i weithio yn ei erbyn, mae cyhyrau ac esgyrn y corff yn tueddu i fynd yn wan. Mae ymarfer yn bwysig i gadw'r corff yn gryf ac i osgoi problemau pan fydd y gofodwr yn mynd adref.

Mae'r ffotograff hwn yn dangos drysau agored caban cargo'r Wennol Ofod. Yn y golwg mae'r fraich robotaidd sydd weithiau'n cael ei defnyddio i lansio a nôl lloerenni.

Yn y diwedd, roedd yr ymdrech i gadw Mir mewn orbit yn ormod. Ar 23 Mawrth, 2001, tynnwyd yr orsaf ofod o orbit y Ddaear a daeth yn ôl i'r atmosffer lle llosgodd yn ulw dros Y Cefnfor Tawel.

Y Wennol Ofod

Y cam nesaf wrth i ddyn deithio yn y gofod oedd datblygu lansiwr gofod i'w ddefnyddio dro ar ôl tro. Oherwydd hyn, byddai modd adeiladu gorsafoedd gofod mwy mewn orbit, a chreu rocedi enfawr i deithio rhwng planedau a theithiau â chriw i'r blaned Mawrth. Ond bu'n rhaid i NASA ganslo nifer o'r prosiectau hyn yn y 1970au oherwydd diffyg arian a dim ond y Wennol Ofod oedd ar ôl. Torrwyd y cynllun hwn yn sylweddol hefyd, gyda llai o wenoliaid yn y diwedd a'r lansio'n digwydd dair blynedd yn hwyr, a cholli Skylab yn 1979 o ganlyniad (gweler tudalen 37). Mae'r Wennol Ofod wedi methu cyflawni llawer o'r nodau gwreiddiol, yn enwedig y syniad y byddai'n rhatach ei rhedeg na cherbydau roced arferol. Ers y teithiau i'r Lleuad, roedd NASA yn dal i fod yn sefydliad enfawr, gan ei wneud yn ddrud iawn er nad oedd gwenoliaid yn cael eu lansio. Oherwydd bod y Wennol Ofod yn ddrud a bod dwy o'r teithiau wedi methu, mae nifer o gwsmeriaid NASA (llu awyr UDA yn fwyaf amlwg) wedi mynd yn ôl at lanswyr rocedi confensiynol.

TRYCHINEBAU *gwenoliaid gofod*

Ar 28 Ionawr, 1986, methodd un o rocedi cyfnerthu gwennol ofod 'Challenger' a ffrwydrodd hi, gan ladd y saith gofodwr ar ei bwrdd. Yn fwyaf diweddar, ar 1 Chwefror, 2003, llosgodd y wennol Columbia wrth ddychwelyd i'r atmosffer, a lladdwyd pob un o saith aelod y criw eto. Un ddamcaniaeth am y rheswm posibl yw bod darnau o sbwng insiwleiddio wedi cwympo oddi ar y tanc tanwydd wrth iddi lansio. Efallai bod y darnau wedi difrodi teils ar un o'r adenydd oedd yn amddiffyn rhag gwres, ac mai hyn arweiniodd at y ddamwain.

Ychydig o newyddion da

Ond, mae'r wennol wedi llwyddo i gadw rhaglen ofod â chriw NASA ar y llwybr cywir. Mae pob lansiad yn cario saith gofodwr sydd, ar ôl i gargo'r lloeren gael ei roi mewn orbit, yn gallu gwneud arbrofion ac ymchwil arall. Felly mae NASA wedi dangos manteision cael pobl yn y gofod yn ogystal â robotiaid. Yr enghraifft orau o hyn oedd y daith lwyddiannus i gywiro Telesgop Gofod Hubble yn 1993. Llwyddodd gofodwyr y Wennol Ofod i newid rhannau diffygiol a chywiro 'golwg' y telesgop. Heb hyn, byddai'r telesgop gwerth miliynau o ddoleri wedi bod yn beiriant oedd bron yn dda i ddim.

I'r dyfodol

Mae'r Wennol Ofod wedi dod i'r amlwg hefyd wrth adeiladu'r Orsaf Ofod Ryngwladol enfawr. Mae ei chaban cargo yn ddigon mawr i gario nifer o'r modiwlau i orbit, ac mae'r criw ar ei bwrdd yn gallu gadael y wennol er mwyn gosod y modiwlau yn eu lle. Er bod y wennol ofod Columbia wedi cael ei dinistrio'n ddiweddar, bydd rhaglen y wennol ofod yn parhau, ac mae NASA yn hyderus y gall y gwenoliaid barhau i weithio tan 2015.

Buran, gwennol ofod Rwsia yn sefyll ar y pad lansio wrth ymyl Energia, y roced fawr.

GWENNOL *Rwsia*

Bu'r Rwsiaid yn ystyried sawl cynllun cyn dewis rhywbeth oedd, yn y bôn, yn copïo Gwennol Ofod America. Cymerodd y prosiect 12 mlynedd i'w ddatblygu. Taniwyd gwennol Rwsia, 'Buran' (sef Storm eira) ar ei thaith gyntaf ar 15 Tachwedd, 1988. Doedd dim gofodwyr arni a chafodd y daith i gyd ei rheoli'n awtomatig. Lansiwyd hi ar roced Energia – y lansiwr rocedi mwyaf pwerus erioed – ac aeth y daith yn berffaith. Gwahanodd Buran o'r lansiwr a mynd i orbit – cyn tanio'r ôl-rocedi, dychwelyd i'r atmosffer a gleidio er mwyn glanio ar redfa ar 260 km/awr. Yn anffodus, dyma unig daith Buran. Daeth yr arian i ben, ac er na chafodd y prosiect ei ganslo'n swyddogol, diflannodd oddi ar gyllidebau'r llywodraeth.

Mae'r dyfodol yn cynnig sawl her wrth i bobl deithio i'r gofod. Ar ôl ail drychineb y Wennol Ofod, mae pobl yn amau a ddylem ni deithio i'r gofod, yn enwedig gan fod chwilwyr robot mor llwyddiannus. Ond mae'n sicr y bydd pobl yn archwilio yn y gofod, gyda rhai prosiectau gwych ar y gorwel.

Yr Orsaf Ofod Ryngwladol (ISS) fydd y peth mwyaf mae dyn wedi'i adeiladu i fynd mewn orbit o gwmpas y Ddaear. Dyma argraff arlunydd o'i maint.

Cydweithio rhyngwladol

Ers diwedd y ras ofod, mae Rwsia ac UDA wedi bod yn cydweithio tipyn. Bu sawl taith ar y cyd, fel y Wennol Ofod yn docio gyda gorsaf ofod Mir yn niwedd y 1990au. Mae rhagor o gydweithio wedi digwydd wrth adeiladu'r Orsaf Ofod Ryngwladol (ISS). Mae'r llwyfan anferthol hwn yn cael ei roi at ei gilydd drwy gydweithrediad UDA, Rwsia, a gwledydd eraill o Ewrop, Canada a Japan. Aeth y modiwl cyntaf i orbit yn 1998 a bydd angen dros 40 hediad iddi fod yn barod. Bydd yr orsaf dros 110 metr o led pan fydd wedi'i chwblhau a bydd yn llachar dros ben.

HEDFAN *o orbit* ☆

Un o fanteision gorsaf ofod barhaol â chriw fyddai bod yn fan cychwyn ardderchog i deithiau i'r gofod. Ar hyn o bryd, mae'r rhan fwyaf o danwydd roced yn mynd er mwyn ceisio dianc rhag disgyrchiant y Ddaear. Ond petaen nhw'n dechrau o'r gofod, byddai modd arbed llawer iawn o danwydd, fel bod hedfan yn y gofod yn llawer rhatach.

Taith i'r blaned Mawrth

Ers i'r gofodwr olaf adael y Lleuad yn 1972, does dim un person arall wedi bod ar blaned arall. Ond nawr, mae cynlluniau ar y gweill i bobl deithio i'r blaned Mawrth, un o'n cymdogion agosaf yng Nghysawd yr Haul. Byddai taith o'r fath yn para tua naw mis. Byddai angen aros ychydig ar wyneb y blaned er mwyn i'r Ddaear a Mawrth fod yn y safleoedd cywir ar gyfer y daith yn ôl. Anfonodd NASA chwilwyr robot eto yn 2004 ac mae sôn y bydd taith â chriw yn digwydd cyn hir.

Mae pobl wedi trafod y syniad y gallai bywyd fod ar y blaned Mawrth ers amser maith.

Rocedi cyflymach

Mae rocedi confensiynol yn ddigon da i archwilio'r gofod agos, ond maen nhw'n ddrud i'w rhedeg ac yn gymharol aneffeithlon. Os yw pobl yn mynd i deithio'n ddyfnach i'r gofod yn y dyfodol, bydd angen darganfod ffordd newydd o'u gyrru. Mae'r syniadau posib yn cynnwys defnyddio laserau i wthio'r llong ofod ymlaen, gyda phŵer yr heulwen. Byddai hwyliau solar yn defnyddio pwysedd yr heulwen (sy'n cael ei greu wrth i ffotonau daro'r hwyliau) i yrru'r llong ofod yn ei blaen. Mae posibilrwydd arall, gyriant ïon, wedi'i ddefnyddio'n barod. Yma, mae gronynnau'n cael eu gwefru drwy dynnu'r electronau oddi arnyn nhw. Wedyn, mae'r gronynnau'n cael eu cyflymu gan blatiau wedi'u gwefru'n drydanol i gynhyrchu llif o nwy. Byddai hwn yn saethu o gefn y motor ïon, gan wthio'r llong ofod ymlaen. Deep Sapce 1, a lansiwyd yn 1998, oedd y llong ofod gyntaf i ddefnyddio technoleg o'r fath. Hefyd, bu'n profi amrywiaeth o dechnoleg y dyfodol gan gynnwys peiriannau oedd yn casglu pŵer solar yn y gofod. Gallen nhw gyrraedd cyflymder llawer uwch na rocedi confensiynol. Yn 1998, dangosodd profion y gallen nhw gyrraedd cyflymder o 109,430 km/awr.

> '*Ac yna, gan fod y Ddaear yn fach, bydd dynolryw yn symud i'r gofod, ac yn croesi'r diffeithwch heb aer sy'n gwahanu planedau wrth ei gilydd a heuliau wrth ei gilydd.*'
>
> Winwood Reade
> The Martyrdom of Man, *1872*

> '*Y Ddaear yw crud y meddwl, ond allwn ni ddim byw am byth mewn crud.*'
>
> Konstantin E Tsiolkovsky, *1896*

Golygfa o arwyneb y Blaned Mawrth gan un o chwilwyr Viking a laniodd yno yn 1976.

Y BLANED *goch*

Mae un syniad am daith i blaned Mawrth yn cynnwys cynhyrchu cyflenwadau tanwydd ac ocsigen ar y blaned ei hun. Gallai ffatri robot gymryd carbon deuocsid o atmosffer planed Mawrth a dŵr o'r pegynau rhewllyd. Gallai'r ffatri droi'r rhain yn fethan ac ocsigen i roced gael teithio'n ôl i'r Ddaear.

LLINELL AMSER

1500–1929

• Tua 1500: Wan-Hu, swyddog yn llywodraeth China yn gosod 47 roced wrth gadair er mwyn ceisio hedfan. Mae'r rocedi'n ffrwydro, y gadair yn cael ei dinistrio a Wan-Hu yn cael ei ladd.

• 1812: Lluoedd Prydain yn defnyddio rocedi Congreve yn erbyn yr Americanwyr yn Fort McHenry. Mae'r ymosodiad yn ysbrydoli Francis Scott Key i ysgrifennu geiriau anthem genedlaethol America.

• Mawrth 1926: Robert Goddard yn lansio roced gyntaf y byd wedi'i gyrru gan hylif. Mae'n hedfan i 13 metr yn unig ac yn cyrraedd cyflymdra o 96.5 km/awr mewn hediad sy'n para 2.5 eiliad yn unig

1930–1949

• Tua 1930: Yr Almaenwr Wernher von Braun a'i grŵp o wyddonwyr a'i dechnegwyr yn cael eu symud i ganolfan gyfrinachol yn Peenemünde i weithio ar y roced V2.

• Awst 1943: Cyrch awyr y Cynghreiriaid yn dinistrio'r ganolfan yn Peenemünde. Braun a'i dîm yn cael eu symud i ganolfan gyfrinachol arall yn Nordhausen.

• 1944: Lansio rocedi V2 at dargedi'r Cynghreiriaid. Ym mlwyddyn olaf y rhyfel, mae bron i 4,300 yn cael eu lansio at Antwerp, Paris a Llundain.

• 1945: Y rhyfel yn dod i ben yn Ewrop. Wernher von Braun a nifer o'i dîm yn ildio i filwyr y Cynghreiriaid ac yn mynd i'r Unol Daleithiau i barhau eu hymchwil rocedi. Gwyddonwyr eraill yn cytuno i weithio i'r Undeb Sofietaidd.

1950–1959

• Hydref 1957: Yr Undeb Sofietaidd yn lansio Sputnik 1, lloeren artiffisial gyntaf y Byd. Mae'r lloeren sydd fel pelen arian yn anfon signal radio syml yn ôl am 21 diwrnod ac yn aros mewn orbit o gwmpas y Ddaear tan ddechrau 1958 pan yw'n llosgi yn yr atmosffer.

• Tachwedd 1957: Cyn pen mis ar ôl lansio Sputnik 1, mae'r Rwsiaid yn lansio Sputnik 2, eu hail chwiliwr. Y tro hwn, mae'r llong ofod yn cario'r peth byw cyntaf i deithio i'r gofod — ci o'r enw Laika.

• Ionawr 1958: Bron i dri mis ar ôl lansio Sputnik 2, mae America'n lansio Explorer 1, ei chwiliwr gofod cyntaf. Mae'r llong ofod yn cario offer sy'n darganfod Gwregysau Van Allen, ardal o ymbelydredd uchel o gwmpas y Ddaear.

1960–1965

• Ebrill 1961: Yuri Gagarin yw'r person cyntaf i deithio i'r gofod. Mae'n teithio yn Vostok 1, mae'r daith yn para 108 munud yn unig ac yn gwneud un orbit cyfan o'r Ddaear.

• Mai 1961: Alan Shepard yw'r Americanwr cyntaf yn y gofod. Nid yw Mercury, y capsiwl, yn gwneud orbit o'r Ddaear, ond mae'n cyrraedd uchder o 186.7 kilometr uwchlaw ein planed.

• Chwefror 1962: John Glenn yw'r Americanwr cyntaf i wneud orbit o'r Ddaear. Capsiwl Mercury yn treulio 4 awr a 55 munud ar y daith.

• Mehefin 1963: Valentina Tereshkova yw'r ddynes gyntaf i deithio yn y gofod yn Vostok 6.

1966–1969

• *Ionawr 1967:* Tân ar fwrdd Apollo 1 yn lladd tri gofodwr ar y pad lansio.

• *Hydref 1968:* Criw yn hedfan am y tro cyntaf yng nghapsiwl Apollo 7. Tri gofodwr yn gwneud 163 orbit o'r Ddaear.

• *Rhagfyr 1968:* Apollo 8 yw'r daith Apollo gyntaf i gael ei lansio gan roced Saturn V. Hefyd, dyma'r gyntaf i gario pobl i'r Lleuad.

• *Mai 1969:* Apollo 10 yn teithio i'r Lleuad ac yn rhyddhau'r modiwl lleuadol sy'n hedfan o fewn 16 kilometr (10 milltir) i wyneb y Lleuad.

• *Gorffennaf 1969:* Neil Armstrong a Buzz Aldrin yw'r bobl gyntaf i gerdded ar y Lleuad yn ystod taith Apollo 11.

1970–1979

• *Ebrill 1971:* Yr Undeb Sofietaidd yn lansio Salyut 1, gorsaf ofod gyntaf â chriw y byd. Mae'r orsaf yn aros mewn orbit am 175 diwrnod, yna mae'n llosgi wrth ddychwelyd i'r atmosffer.

• *Mai 1973:* Skylab, gorsaf ofod gyntaf America yn mynd i orbit. Oherwydd problemau wrth danio, nid yw'r darian wres yn gweithio'n iawn ac mae'n amhosibl byw yn yr orsaf tan iddi gael ei chywiro yn ystod y daith nesaf.

1980–1989

• *Ebrill 1981:* Gwennol Ofod Columbia yw llong ofod gyntaf y byd i'w defnyddio dro ar ôl tro. Mae'n cario'r gofodwyr Robert Crippen a John Young ac yn aros mewn orbit am ddau ddiwrnod cyn glanio yng Nghanolfan Llu Awyr Edwards.

• *Ionawr 1986:* Y Wennol Ofod Challenger yn ffrwydro 73 eiliad ar ôl codi o'r Ddaear, gan ladd y saith gofodwr ar ei bwrdd. Roedd nam ar sêl un o'r rocedi cyfnerthu. Felly, rhaglen ofod â chriw yr Americanwyr yn aros yn ei hunfan.

• *Chwefror 1986:* Lansio modiwl craidd Mir, gorsaf ofod Rwsia, a'i rhoi mewn orbit. Mae'r orsaf ofod yn aros mewn orbit am y 15 mlynedd nesaf, gyda modiwlau eraill yn cael eu hychwanegu. Mae'n cael ei thynnu o orbit ym mis Mawrth 2001.

• *Medi 1988:* Rhaglen ofod â chriw UDA yn ailddechrau wrth lansio'r Wennol Ofod Discovery. Mae'n cario pum gofodwr ar daith sy'n para pedwar diwrnod.

1990–

• *Ebrill 1990:* Telesgop Gofod Hubble yn cael ei roi mewn orbit gan y Wennol Ofod ar ei 31ain daith.

• *Rhagfyr 1993:* Taith y Wennol Ofod i gywiro nam ar Delesgop Gofod Hubble yn llwyddiant. O ganlyniad, mae'r lloeren yn gallu cofnodi delweddau o fannau llawer pellach, gan ddatgelu llawer o gyfrinachau am fywyd cynnar y Bydysawd.

• *Tachwedd 1998:* Lansio modiwl cyntaf yr Orsaf Ofod Ryngwladol a'i roi mewn orbit. Yr ail fodiwl yn cael ei osod fis yn ddiweddarach. Cyn hir, yr Orsaf hon yw'r peth mwyaf mewn orbit erioed.

• *Chwefror 2003:* Y Wennol Ofod Columbia yn llosgi wrth ddychwelyd i'r atmosffer, gan ladd y saith gofodwr. Teithiau i'r gofod â chriw NASA yn cael eu hatal am flwyddyn o leiaf.

allyrru Pan fydd peilot yn cael ei gymryd allan o awyren. Mae'r peilot yn eistedd mewn sedd allyrru sy'n tanio'r peilot allan yn glir o'r awyren gyda help injans roced bach neu aer cywasgedig. Pan fydd yn ddigon pell o'r awyren, mae'r peilot yn parasiwtio'n ddiogel i'r ddaear.

atmosffer Yr haen denau o nwyon sy'n amgylchynu nifer o blanedau. Mae atmosffer planed yn teneuo po bellaf rydych chi'n symud o'r wyneb ac yn y pendraw mae'n mynd yn ddim. Mae'r atmosffer o gwmpas y Ddaear yn rhoi'r nwyon sy'n ein galluogi ni i anadlu – ocsigen yn bennaf.

atom Rhan leiaf gronyn. Atomau yw ffynhonnell ynni niwclear.

cerdded yn y gofod Rhan o daith i'r gofod lle mae gofodwr yn mynd y tu allan i'r llong ofod i wneud pethau fel trwsio lloeren, mynd i long ofod arall neu adeiladu llong ofod fwy.

codi o'r Ddaear Yr eiliad pan fydd y roced yn dechrau codi oddi ar y pad lansio. Mae gwahanol sefydliadau gofod yn gwneud pethau gwahanol. Er enghraifft, mae Gwennol Ofod NASA'n tanio'i rocedi ar rif 7 ac yna'n cyfrif am yn ôl a chodi o'r ddaear ar 0. Ond mae teithiau Ariane Ewropeaidd yn tanio'u rocedi ar 0 a ddim yn dechrau codi o'r Ddaear am saith eiliad arall.

dychwelyd i'r atmosffer Pan fydd llong ofod yn dod yn ôl i atmosffer y Ddaear. Mae llongau gofod yn teithio'n gyflym iawn wrth ddychwelyd, felly mae'r ffrithiant y mae'r atmosffer yn ei achosi yn creu tymheredd uchel iawn. Mae gan longau gofod haen amddiffynnol o'r enw tarian wres i atal y llong ofod rhag llosgi'n ulw.

electron Math o ronyn â gwefr negyddol sydd ym mhob atom.

FAI Fédération Aéronautique Internationale (Ffederasiwn Awyrofod Rhyngwladol), y corff o Ffrainc sy'n goruchwylio pob agwedd ar gampau awyrofod o gwmpas y byd, gan gynnwys hedfan yn y gofod a'r record am y dyn cyntaf yn y gofod.

glanio yn y môr Rheoli llong ofod i lanio ar ddŵr ar ddiwedd taith i'r gofod. Cyn y Wennol Ofod, roedd pob taith NASA â chriw yn glanio yn y môr a bydden nhw'n cael eu nôl o'r fan honno. Ond mae pob taith ofod Rwsiaidd â chriw wedi glanio ar dir solet.

gorsaf ofod Lloeren fawr artiffisial â chriw sy'n addas i bobl dreulio cyfnod hir o amser yn y gofod er mwyn gwneud ymchwil wyddonol, feddygol a milwrol hyd yn oed. Hefyd gall gynnig cyfleusterau lansio i deithiau gofod eraill a hefyd pyrth docio i longau gofod eraill.

gronyn Cyfran fach iawn o fater (sylwedd).

Gwennol Ofod Cyfres o longau gofod roedd modd eu defnyddio sawl gwaith a ddatblygwyd gan NASA ac a ddechreuodd hediadau gweithredol yn 1982. Mae modd defnyddio pob rhan o'r system Wennol Ofod mewn teithiau eraill, heblaw am y tanc tanwydd oren enfawr sy'n llosgi'n ulw yn yr atmosffer ar ôl iddo gael ei ryddhau. Ar ddiwedd pob taith, mae'r wennol wedi'i dylunio i lanio ar redfa.

gyriant ïon Math o injan roced lle mae atomau nwy, fel senon, yn cael gwefr drydanol (ïoneiddio). Wedyn, mae'r ïonau hyn yn cael eu cyflymu drwy drydan hyd at gyflymder o 30km yr eiliad ac yn cael eu gyrru allan drwy ffroenell. Mae'r llif o ronynnau wedi'u hïoneiddio sy'n cael ei achosi yn gwthio llong ofod sydd â gyriant ïon yn ei blaen.

hediad is-orbit Llwybr taith gan long ofod nad yw'n gwneud orbit llawn o'r Ddaear.

ISS Yr Orsaf Ofod Ryngwladol. Mae'r orsaf ofod enfawr hon yn cael ei rhoi at ei gilydd gyda help gwledydd ledled y byd, gan gynnwys UDA, Rwsia, Canada a Japan. Pan fydd wedi'i chwblhau, hi fydd y peth mwyaf a roddwyd at ei gilydd mewn orbit erioed.

lloeren Gwrthrych, fel llong ofod neu Leuad, sy'n gwneud orbit o gwmpas rhywbeth mwy, fel planed.

modiwl Rhan o long ofod. Er enghraifft, roedd tri modiwl mewn llongau gofod Apollo. Y modiwl gwasanaethu, lle roedd y tanwydd, yr ocsigen a'r cyflenwadau i'r daith; y modiwl rheoli lle roedd y gofodwyr yn treulio'r rhan fwyaf o'u hamser gan gynnwys y daith yn ôl i'r ddaear; a'r modiwl lleuadol, oedd yn glanio ar wyneb y Lleuad.

NASA National Aeronautics and Space Administration, asiantaeth gofod UDA a sefydlwyd yn 1958 i gydlynu teithiau gofod America, rhai gyda chriw a rhai di-griw.

orbit   Llwybr gwrthrych, fel lloeren neu leuad, o gwmpas corff mwy, fel planed. Fel arfer, mae'r llwybr yn siâp wy, neu elips.

Politburo   Corff gwneud penderfyniadau goruchaf y Blaid Gomiwnyddol a'r Undeb Sofietaidd.

roced   Cerbyd sy'n defnyddio llif o nwyon i'w yrru ymlaen. Mae rocedi confensiynol yn defnyddio cymysgedd o danwydd ac ocsideiddwyr sy'n cael eu tanio i gynhyrchu llif o nwyon poeth sy'n ehangu i roi gwthiad. Mae'r tanwydd a'r ocsideiddwyr ar ffurf hylif neu solet. Mae gyriant ïon yn fath arall o roced.

rocedi Congreve   Rocedi a ddyfeisiwyd gan y Sais William Congreve yn 1804. Cawson nhw eu dylunio'n wreiddiol oherwydd bod y Ffrancod yn bygwth goresgyn Prydain ac fe'u defnyddiwyd yn helaeth yn Rhyfeloedd Napoleon ac yn rhyfel 1812 rhwng America a Phrydain. Roedd y rocedi'n defnyddio darn hir o bren, tua phum metr o hyd, i'w cadw'n sefydlog wrth hedfan.

rocedi cyfnerthu   Y rocedi pwerus sy'n rhan o gam cyntaf cerbyd sy'n gallu cael eu lansio sawl tro. Yn y Wennol Ofod, mae'r rocedi cyfnerthu'n llawn tanwydd soled ac ar ôl i hwnnw losgi, maen nhw'n cael eu rhyddhau ac yn parasiwtio i'r Ddaear lle maen nhw'n cael eu codi a'u defnyddio mewn teithiau gofod yn y dyfodol.

Rwsiad   Dinesydd o Rwsia, neu'r hen Undeb Sofietaidd.

siwt ofod   Siwt arbennig y mae gofodwyr yn ei gwisgo i'w gwarchod rhag amgylchedd anodd y gofod y tu allan i long ofod. Mae angen i siwt ofod gael ei selio a'i gwasgeddu, a rhaid iddi roi aer i berson anadlu a ffordd o reoli'r tymheredd, cyswllt radio ac amddiffyniad rhag lefelau uchel o ymbelydredd.

stratosffer   Un o haenau uchaf yr atmosffer sy'n dechrau ar uchder rhwng 6 a 17 kilometr ac sy'n mynd hyd at tua 50 kilometr. Mae'r tymheredd y tu allan yn cynyddu wrth fynd i fyny.

tanwydd hylif   Tanwydd sydd ar ffurf hylif. Mae rocedi tanwydd hylif yn defnyddio tanwydd ac ocsideiddiwr sy'n cael eu cadw mor oer fel mai hylif ydyn nhw. Yna maen nhw'n cael eu cymysgu a'u tanio i roi hyrddiadau o nwyon poeth sy'n gwthio'r llong ofod ymlaen. Mae tanwydd hylif yn ansefydlog iawn ac mae angen llawer o ymdrech i ofalu amdanyn nhw. Ond maen nhw'n rhoi mwy o reolaeth i beilot y llong ofod na rocedi tanwydd solet, sy'n amhosibl eu diffodd ar ôl eu tanio.

tanwydd solet   Tanwydd sydd ar ffurf solet. Mae rocedi tanwydd solet yn cynnwys y tanwydd a'r ocsideiddiwr wedi'u cymysgu'n barod, fel arfer ar ffurf gronynnau. Mae tanwydd solet yn haws eu trin ac yn cynhyrchu llawer iawn o wthiad. Ond does dim modd eu rheoli'n dda iawn gan eu bod yn amhosibl eu diffodd ar ôl eu tanio.

tarian wres   Haen amddiffynnol er mwyn atal y gwres llethol sy'n digwydd wrth ddychwelyd i'r ddaear. Mae'r darian gwres ar y Wennol Ofod yn cynnwys cannoedd o deils enamel wedi'u gwneud yn arbennig.

uchder   Uchder gwrthrych uwchben wyneb y Ddaear. Er enghraifft, mae copa Everest ar uchder o 8,848 metr, ac mae'r gofod yn dechrau ar uchder o 160 kilometr.

Yr Undeb Sofietaidd   Cenedl gomiwnyddol oedd yn cynnwys Rwsia a nifer o wladwriaethau eraill, gan gynnwys Estonia, Latfia, Georgia, Uzbekistan, Tajikistan a'r Wcráin. Cafodd ei sefydlu yn 1917 a thyfodd, gan gyrraedd ei uchafbwynt rhwng 1946 a 1991. Hi oedd y wlad fwyaf ar y blaned yn y cyfnod hwn. Ers 1991, mae'r genedl wedi'i rhannu'n wladwriaethau unigol, a dim un ohonyn nhw o dan reolaeth gomiwnyddol.

MYNEGAI

A

adar 13
Adran 9, Prosiect 14
Ail Ryfel Byd, yr 6, 8, 10, 31
Aldrin, Edwin 'Buzz' 35, 43
Ali, Hyder 4
Allen, James Van 13
allyrru 15, 18, 19, 24, 28, 44
ameba 13
anthem genedlaethol America 4, 42
Apollo 10, 33, 34, 37, 43, 45
    Apollo 1 34, 43
    Apollo 7 43
    Apollo 8 34, 43
    Apollo 9 34
    Apollo 10 34, 43
    Apollo 11 35, 43
    Apollo 13 34
Armstrong, Neil 35, 43
atmosffer 4, 9, 12, 13, 16, 23, 24, 30, 33, 35, 36, 37, 38, 41, 42, 43, 44, 45

B

Baikonur, Canolfan Ofod 20
Bean, Allan 35
Blaid Gomiwnyddol, y 26, 29
Braun, Wernher von 8, 9, 10, 13, 30, 42
Brezhnev, Leonid 27
brogaod 13
Buran 36, 39
Bush, Vannevar 13

C

C-130, awyrennau 16
camau 10, 22
Cape Canaveral 30

Carpenter, Scott 17, 30
cerdded yn y gofod 32, 37, 44
Cernan, Eugene 35
Churchill, Winston 10
clo awyr 32
codi o'r Ddaear 16, 22, 44
Collins, Michael 35
Congreve, rocedi 5, 42, 45
Congreve, William 45
Conrad Jr, Pete 35
Cooper, Leroy 17, 30, 31
Crippen, Robert 43
cŵn 4, 13
    Chernushka 19
    Laika 12, 13, 42
    Zvezdochka 19
cyfnerthu, rocedi 10, 22, 38, 43, 45

Ch

chwilwyr Viking 41

D

Deep Space 1 41
Dinas y Sêr 27, 28
disgyrchiant 9, 37, 40
docio 33, 34, 35
Duke Jr, Charles 35
dychwelyd i'r atmosffer 13, 14, 15, 16, 23, 28, 30, 33, 34, 37, 43, 44

E

Edwards, Canolfan y Llu Awyr 43
Efelychydd y Llong Ofod 19
ethyl alcohol 8
Explorer 1 9, 13, 30, 42

F

Faget, Maxine 14, 16
FAI (Fédération Aéronautique Internationale) 25, 44
Fort McHenry 4, 42

G

Gagarin, Yuri 6, 7, 18, 19, 20, 22, 23, 24, 25, 26, 27, 28, 29, 42
Gemini 32, 33, 34
    Gemini 3 32
    Gemini 5 33
GIRD (Group for the Investigation of Reactive Motion) 11
glanio yn y môr 13, 24, 30, 31, 34, 44
Glenn, John 17, 30, 31, 42
gofodwyr Rwsia 14, 17, 18, 20, 21, 24, 25, 26, 28, 29, 30, 33, 36, 37
gofodwyr UDA 15, 16, 30, 31, 32, 34, 37, 38, 39, 43
Goruchaf Sofiet, y 28, 29
Grissom, Virgil 17, 30
Gwennol Ofod 24, 30, 31, 36, 37, 38, 39, 40, 43, 44, 45
Gwennol Ofod Challenger 38, 43
Gwennol Ofod Columbia 36, 38, 39, 43
Gwennol Ofod Discovery 31, 43
gwyntoedd solar 41
gyriant ïon 41, 44, 45

H

hediadau is-orbit 14, 16, 30, 44
Helms, Susan 32
Hubble, Telesgop Gofod 39, 43

I

Irwin, James 35
ISS (International Space Station/Yr Orsaf Ofod Ryngwladol) 32, 33, 36, 39, 40, 43, 44
Ivanovich, Ivan (model) 19

K

Kennedy, Canolfan Ofod 30, 35
Kennedy, John F 32, 33
Key, Francis Scott 4, 42
Komarov, Vladimir 33
Korolev, Sergei 10, 11, 14, 16, 18, 21, 22, 24, 25

L

Lenin, Urdd 27
Leonov, Aleksei 32
Lucid, Shannon 37

Ll

Lleuad, y 10, 11, 22, 32, 33, 34, 35, 36, 38, 43, 44
lloerenni 10, 16, 32, 38, 39, 45
lloerenni Zenit 16, 17
llosgi 22
Llundain 42

lluoedd arfog
 y Cynghreiriaid 8, 9, 42
 y Sofietiaid 9, 10, 11, 18
 yr Almaenwyr 9
 yr Americanwyr 9
llygod 13

M

Mawrth, y Blaned 38, 41
Mercury 13, 14, 15, 16, 17, 18, 30, 31, 42
Mercury Freedom 7 15
MiG-15, awyren ryfel 29
Mir 33, 36, 37, 38, 40, 43
Mitchell, Edgar 35
Môr Baltig 8
Moscow 25, 26, 28, 29
mwncïod rhesus 12

N

NASA (National Aeronautics and Space Administration) 13, 17, 30, 32, 37, 38, 39, 44, 45
Nikolayev, Adrian 28
Nordhausen 8, 42

O

Oberth, Hermann 10
ocsigen 8, 12, 14, 17, 41, 44
ôl-rocedi 23, 39
orbit 10, 12, 14, 16, 23, 28, 30, 31, 33, 34, 39, 42, 43, 45
Orbiter, Prosiect 10

P

pad lansio 20, 22, 43
Paperclip, Cyrch 9
parasiwtiau 15, 16, 19, 24, 25, 44
Paris 42
Peenemünde 8, 10, 42
Politburo 16, 29
Popovich, Pavel 28
profion gollwng 16
pryfed 13
pysgod 13

R

Reade, Winwood 41
rocedi 5, 6, 8, 10, 20, 21, 22, 34, 38, 39, 40, 41, 42, 43, 44
 Atlas 30
 Energia 39
 Juno 9
 N-1 11
 R-7 11, 12, 14, 16, 22
 Redstone 9, 30
 Saturn V 10, 22, 37, 43

Rh

rhaglen Balistig Byddin UDA 9

S

Salyut 33, 36
 Salyut 1 36, 43
 Salyut 2 36
 Salyut 3 36
 Salyut 6 36
 Salyut 7 36
Schmitt, Harrison 35

Scott, David 35
Seren Aur Arwr yr Undeb Sofietaidd 27
Seringapatam, brwydrau 5
Sgwâr Coch 26
Shepard, Alan 15, 17, 30, 35, 42
Shirra, Walter, 17, 30
siambrau tanio 8
siwtiau gofod 17, 20, 32, 45
Skylab 37, 38, 43
Slayton, Donald 17, 30
slefren fôr 13
Soyuz 33, 34, 36
 Soyuz 1 33, 34
 Soyuz 2 33
 Soyuz 4 34
 Soyuz 5 34
Sputnik 32,
 Sputnik 1 11, 12, 13, 42
 Sputnik 2 12, 13, 42
 Sputnik 3 12
Stalin, Joseph 11
stratosffer 9, 21, 45
Sultan, Tippu 5

T

taflegrau 10
 Persching 10
 rhyng-gyfandirol 9
tanciau tanwydd 22, 38, 44
tanio 13, 19
tanwydd hylif 5, 6, 42, 45
tanwydd solet 5, 45
tariannau gwres 15
Tereshkova, Valentina 29, 42
Titov, Gherman 28, 30
tsimpansî 4, 5, 13, 18
 Ham 18
Tsiolkovsky, Konstantin E 41

U

Undeb Sofietaidd, yr 27, 28, 29, 45

V

V1 'Doodlebugs' 8
V2, rocedi 8, 9, 10, 42
V2, rocedi hedegog 9
Van Allen, Gwregysau 42
VfR (Cymdeithas Teithio Gofod yr Almaen) 10
'vomit comets' 19
Voshkod 32
 Voshkod 1 32
 Voshkod 2 32
Voss, Jim 32
Vostok 14, 15, 16, 17, 18, 19, 28, 29, 30, 32
 Vostok 1 22, 23, 24, 28, 42
 Vostok 2 28
 Vostok 3 28
 Vostok 4 28
 Vostok 5 29
 Vostok 6 29, 42

W

Wan-Hu 4, 42
White Sands, safle prawf Corfflu Byddin UDA 9, 30
White, Edward 33
Wolfe, Tom 19

Y

ymbelydredd 17, 20, 42, 45
Young, John 35, 43
ysgafnder yn y gofod 13, 19, 22

CYDNABYDDIAETH

Cyhoeddwyd gyntaf yn 2003 gan ticktock Media Ltd.,
Unit 2, Orchard Business Centre, North Farm Road, Tunbridge Wells, Kent, TN2 3XF

ISBN 978 1 84851 281 8

Cyhoeddir gyda chefnogaeth
Llywodraeth Cynulliad Cymru.

Argraffwyd a rhwymwyd yng Nghymru gan
Wasg Gomer, Llandysul, Ceredigion SA44 4JL
www.gomer.co.uk

Cydnabod Lluniau:
c = canol; g = gwaelod; ch = chwith; dd = dde; t = top.
Alamy: 12–13c, 35g, 43c.
Corbis: 8–9, 10–11, 12, 18g, 20t, 39, 42g.
Hulton Archive: 28g. NASA: 1, 6–7c, 7t, 15g, 19t, 22t, 30–31, 32–33, 34, 35t, 36–37, 38, 40, 43c, 43dd.
Science Photo Library: 6, 14ch, 22t, 25, 26–27.